Thomas J. Braga

Alain Finkielkraut

de l'Académie française

L'identité malheureuse

Gallimard

Alain Finkielkraut est né à Paris en 1949. Il est notamment l'auteur de *La Sagesse de l'amour, La Défaite de la pensée, La Mémoire vaine* et *Un cœur intelligent.*

Professeur émérite, Alain Finkielkraut a enseigné la philosophie à l'École polytechnique. Il donne des conférences et produit depuis 1985 l'émission « Répliques » sur France Culture.

Pour Thomas

Le changement
n'est plus ce qu'il était

Je suis né à Paris le 30 juin 1949. Ce qui signifie que j'ai grandi et passé une partie de ma vie d'adulte, personnelle et professionnelle, dans une France bien différente de celle que nous habitons aujourd'hui. Dans cette France de naguère, on croyait à la politique. Dans cette France d'autrefois, l'histoire devait déjà répondre de ses crimes, mais elle semblait encore porteuse de sens.

En mai 68, je terminais mon année de khâgne au lycée Henri-IV. Je m'étais mis au vert, dans un village de Sologne, pour préparer, avec un ami, le concours d'entrée à l'École normale supérieure. Nous révisions le jour, je paniquais la nuit, le monde n'existait plus, il n'y avait de place dans ma vie que pour cette échéance. J'ai donc été pris au dépourvu par ce qu'on a appelé tout de suite *les événements* : ils ont déboulé sans préavis. Malgré mon vœu de ne pas me laisser distraire, je les ai d'abord suivis l'oreille collée à un transistor. Mais très vite, cette passivité m'a pesé. Je n'ai pas voulu, je n'ai pas pu rester en plan et continuer de faire tapisserie dans un hôtel coquet et tranquille, à la campagne.

Revenu à Paris après les premiers heurts entre les étudiants et la police, j'ai pleinement vécu ce moment de grâce, cette interruption sabbatique de la vie courante où les gens ne se croisaient plus mais s'écoutaient et se disputaient la parole. Avec la participation de chacun et à la stupeur générale, la fourmilière était devenue une agora. Rien n'échappait à la critique, on se grisait de tout repenser, de tout reprendre, de tout refaire. Et cela dehors, à ciel ouvert, dans une ville soudain libérée de la tyrannie des transports : les rues n'étaient plus abaissées au rang de voies de passage, les voitures cédaient le terrain, le verbe emplissait l'espace. Un verbe, il est vrai, très codé : moi qui n'avais jamais milité, je me suis découvert, comme la plupart de mes interlocuteurs, une surprenante facilité à apprendre et à parler l'idiome révolutionnaire. J'ai chanté « Bella Ciao », en manifestant boulevard Saint-Michel, j'ai rédigé des affiches, j'ai perdu ma voix dans les assemblées générales et, avec d'autres khâgneux, ensorcelés par le slogan « Soyez réalistes, demandez l'impossible ! », j'ai exigé le report du concours au mois de septembre. Nous avons obtenu gain de cause. Avec l'été a sonné l'heure de la dispersion, nous nous sommes égaillés dans la nature, nous avons passé des vacances inquiètes et studieuses : l'histoire redevenait une matière, le latin reprenait ses droits. Je me suis, pour ma part, plongé dans mes fiches, j'ai bachoté, j'ai concouru, j'ai échoué et j'ai intégré l'année suivante l'École normale supérieure de Saint-Cloud, installée aujourd'hui à Lyon. Mais je n'en avais pas fini avec la passion politique.

Il y a eu les années gauchistes de la déconstruction des valeurs héritées, de la remise en cause de toutes les modalités du Pouvoir et de l'aspiration à un changement radical du monde. Puis est venu le tournant antitotalitaire. Sous l'effet du combat mené par les dissidents dans ce qui était alors « l'autre Europe », les contestataires que nous étions se sont réconciliés avec le suffrage universel aussi et avec les droits de l'homme. Nous avons soudain réalisé que ces droits ne servaient pas à couvrir un système de domination, comme l'enseignait le marxisme orthodoxe, mais que, là où ils étaient en vigueur, ils fixaient une limite intangible au droit de l'État. Nous avons pris conscience de la chance que représente la liberté politique et nous avons cessé de scander : « Élections, piège à cons ! » Ceux qui nous enviaient de vivre sous un régime représentatif ont dissipé l'allergie pour cette modalité de l'existence à plusieurs que venaient de nous inculquer les classiques de la Révolution et qu'avait renforcée la « Chambre introuvable » issue des urnes de l'après-Mai.

En 68, nous nous appelions fièrement « camarades » mais ce n'était pas rien, nous le savions désormais, que d'être *citoyens* et non *sujets* comme autrefois ou *suspects* comme ailleurs. En outre, la lecture de *L'Archipel du Goulag* nous a appris ce que l'énormité du crime devait à l'idéologie et cette révélation a guéri une grande partie d'entre nous de l'arrogance intellectuelle. Et j'ai trouvé la plus juste expression du saisissement et du dégrisement qui furent alors les nôtres en tombant récemment sur cette phrase de Goethe : « Les idées générales et la grande présomption sont toujours en train de déchaîner d'affreux malheurs. » Soustraits par notre date et notre lieu de naissance à ces affreux malheurs comme à tous les grands cataclysmes, nous n'avons pas pu nous défendre, en outre, d'un sentiment d'imposture. Ce qui nous est, peu à peu, devenu clair, c'est la part de comédie que recelaient nos engagements quand nous endossions, sans avoir à en payer le prix, les défroques du révolutionnaire ou du résistant. Mais il n'était pas question pour autant de déserter l'espace public. Nous sommes restés mobilisés, nous avons manifesté, nous avons même conquis des libertés nouvelles et c'est encore avec l'espoir de « changer la vie » que nous avons porté François Mitterrand au pouvoir le 10 mai 1981.

Ce slogan toutefois est resté lettre morte. Il s'est certes passé beaucoup de choses dans nos vies et dans le monde, l'histoire ne s'est ni arrêtée ni endormie, des événements imprévus, miraculeux comme la chute du mur de Berlin ou effrayants comme la destruction des tours jumelles de Manhattan, nous ont tenus en haleine, des innovations n'ont cessé de pleuvoir, la technique a inventé et inventera encore, comme le prévoyait déjà Péguy au début du siècle dernier, « des graphies, des phonies et des scopies qui ne seront pas moins télé les unes que les autres ». Mettant fin à l'antagonisme devenu proverbial de l'Artiste et du Philistin, un nouveau type humain a même fait son apparition : le *bobo*. Comme son nom l'indique, celui-ci n'est pas né de rien, mais du croisement entre l'aspiration bourgeoise à une vie confortable et l'abandon bohème des exigences du devoir pour les élans du désir, de la durée pour l'intensité, des tenues et des postures rigides, enfin, pour une décontraction ostentatoire. Le bobo veut jouer sur les deux tableaux : être pleinement adulte et prolonger son adolescence à n'en plus finir. Cet hybride que notre génération a produit témoigne de la libération des mœurs et d'une manière d'habiter le temps différente de celle de nos pères. Le phénomène n'est pas anodin. On aurait tort de le prendre à la légère. Reste qu'au sens où nous l'entendions, au sens où nous le rêvions, nous n'avons pas changé le monde, nous n'avons pas changé la vie. C'est *business as usual.* C'est même, pourrait-on dire, *business more than ever.* La sphère non marchande de la vie ne cesse de rétrécir : il n'est presque plus rien qui ne puisse être commercialisé. Quand des interdits subsistent, les individus les déjouent en profitant à plein de la mondialisation : impossible il y a peu, la location de ventres maternels se développe ainsi grâce à Internet sous le nom trompeusement bénévole de *gestation pour autrui.* Et la publicité, qui était — s'en souvient-on encore ? — la première cible de la contestation, a aujourd'hui le statut de l'évidence. Érigée en culture pub, elle règne, omnipotente et indiscutable, elle dicte sa loi à la radio et à la télévision, elle envahit les écrans d'ordinateurs, elle saccage l'entrée des villes, elle s'étale sur les voiles des trimarans, sur les maillots, les combinaisons, les casquettes des sportifs et sur les cahiers de tous les élèves. Le désir des marques redoublant ainsi celui des objets, on produit et on consomme dans une course sans fin et les politiques eux-mêmes, quel que soit leur parti, semblent n'avoir d'autre crainte que la récession, d'autre horizon que la croissance.

Cette logique, nous l'appelions, pour bien marquer notre hostilité, « le système ». Un système que nous doutions de pouvoir renverser mais auquel nous n'avions nulle intention de soumettre nos existences. Si nous ne prenions aucune Bastille, au moins avions-nous décidé de faire défection en nous situant ailleurs, en vivant autrement. Aujourd'hui, nous jouons le jeu, nous sommes partie prenante. Faut-il en conclure que nous sommes devenus responsables ou que nous avons été, autre grand mot des temps contestataires, *récupérés* ? Avons-nous suivi, en entrant dans la vie active, la voie normale de l'intérêt bien compris ou celle, navrante, de la normalisation ? Les jeunes gens en colère que nous étions se sont-ils laissé apprivoiser ou sont-ils devenus raisonnables ? Avons-nous grandi ou avons-nous pactisé ? Est-ce, pour le dire d'un mot, nos illusions angéliques que nous avons perdues ou notre belle intransigeance ?

On m'objectera, à juste titre, qu'avec ce « nous » péremptoire je vais un peu vite en besogne. Il y a, dans toutes les générations, des exceptions à la règle de l'assagissement. Ainsi, Stéphane Hessel, avec *Indignez-vous !* devenu, en quelques mois, le petit livre beige du siècle qui commence. Arrivé, selon ses propres termes, à « la toute dernière étape », l'auteur s'adresse aux jeunes et leur dit : « Regardez autour de vous, vous y trouverez les thèmes qui justifient votre indignation [...]. Vous trouverez des situations concrètes qui vous amènent à donner libre cours à une action citoyenne forte. Cherchez et vous trouverez ! » Point n'est besoin, autrement dit, de peser, de calculer, de réfléchir : l'humanité ne rencontre jamais de problèmes, seulement des scandales. Voilà qui s'appelle transmettre la flamme. Une différence fondamentale cependant sépare cette indignation de la radicalité de naguère : le grand changement n'est plus à l'ordre du jour. Le scandale des scandales, nous dit, dans son testament politique, Stéphane Hessel, c'est le démantèlement de l'État-providence. Il n'en appelle donc pas à une rupture avec le monde ancien, il veut que le monde redevienne ce qu'il était avant le déferlement de la vague néolibérale. Comme l'écrit François Furet, à la fin du *Passé d'une illusion* : « L'idée d'une autre société est devenue presque impossible à penser, et d'ailleurs personne n'avance sur le sujet, dans le monde d'aujourd'hui, l'esquisse d'un concept neuf. »

En guise de concept neuf, Stéphane Hessel invoque le programme du Conseil national de la Résistance, il nous enjoint de « veiller tous ensemble à ce que notre société *reste* une société dont nous soyons fiers », et quand la gauche, adoubée par l'indomptable nonagénaire, se présente aux suffrages et remporte les élections, c'est en promettant, sous le mot d'ordre du *changement maintenant*, la réconciliation des citoyens, le rétablissement des finances publiques, le retour de la croissance et la préservation ou la refondation de notre modèle social.

Deuxième différence, deuxième grande nouveauté de notre temps : le renoncement à changer le monde ne se traduit ni par la perpétuation du statu quo ni par un retour en arrière. Alors même que nous devenons réalistes au sens classique du terme et que, indignés ou assagis, nous faisons notre deuil de l'impossible, ce que nul n'a jamais prévu, ni même envisagé, survient sans crier gare, et bouleverse tout. Au moment où, pour parler encore comme François Furet, nous nous sentons « condamnés à vivre dans le monde où nous vivons », ce monde nous file entre les doigts. En 1968, nous disions : « Cours, camarade, le Vieux Monde est derrière toi ! » Essoufflés, nous avons ralenti le pas, nous nous sommes arrêtés, et nous n'avons plus reconnu le Vieux Monde. C'est à travers la notion de changement que l'homme se pensait comme l'auteur de son histoire et voici que le changement le dépossède de cette prérogative.

J'ouvre le rapport remis le 28 janvier 2011 au Premier ministre par le Haut Conseil à l'intégration sur « les défis de l'intégration à l'école ». Je lis, au chapitre 3, « Ainsi, la pression religieuse s'invite au sein des cours et dans la contestation ou l'évitement de certains contenus d'enseignement. Ainsi, les cours de gymnastique et de piscine sont-ils évités par des jeunes filles qui ne veulent pas être en mixité avec les garçons. Ces dispenses d'enseignement, parfois justifiées par des dérogations médicales de complaisance pose le problème du vivre-ensemble entre filles et garçons ». Un peu plus loin, dans le même chapitre : « Il nous a été signalé que, dans certains quartiers relevant de la politique de la ville, les cantines sont peu fréquentées bien qu'existe une prise en charge des repas pour des familles défavorisées. Ainsi, dans plusieurs collèges des communes visitées par le HCI, la majorité des élèves de l'établissement ne fréquentent pas la cantine scolaire pour des raisons principalement religieuses alors que des plats de substitution sont prévus. Le vivre-ensemble est entamé, des groupes se forment au sein des cantines. » D'où cette exhortation solennelle du HCI face aux conflits de plus en plus nombreux qui émergent au sein des classes : « L'école républicaine doit plus que jamais se montrer capable d'assumer sa mission originelle : être le creuset où se fabrique le vivre-ensemble au-delà de la simple coexistence et de la tolérance des différences. »

J'ai passé l'agrégation de lettres modernes en 1972. Après un stage dans différents lycées parisiens, j'ai enseigné à Beauvais dans un lycée technique et j'étais à mille lieues de ces préoccupations. Comme la majorité des professeurs de ma génération, j'étais partagé entre deux exigences : d'une part, le souci de transmettre le savoir que j'avais commencé d'acquérir à mes élèves qui n'étaient pas nés au milieu des livres, afin de tenir, à ma toute petite échelle, ce que Mandelstam a appelé, dans un vers inoubliable, « la splendide promesse faite au quatrième état » ; d'autre part, la volonté de descendre de l'estrade, de démystifier et même d'abandonner l'autorité pédagogique dont j'étais investi et qui m'apparaissait comme un pouvoir de domestication ou comme une « violence symbolique », pour reprendre l'impitoyable formule de Pierre Bourdieu. Je voulais enseigner et je ne voulais pas être un maître. Allez vous débrouiller avec ça ! Ni mon ardeur, ni ma mauvaise conscience, en tout cas, ne me représentaient l'école comme le creuset du vivre-ensemble. Personne alors ne s'exprimait ainsi. Aucun édile municipal, aucun producteur d'événements culturels n'avait l'idée, dans cette époque pourtant fertile en défilés, d'organiser de grandes « techno parades » pour fêter « la diversité et la mixité sociale » ou « le mieux vivre-ensemble ». Certes, il y avait des litiges ou, comme on aimait à dire pour hausser la politique au niveau de l'épopée : des « luttes ». Mais la société conflictuelle sous laquelle nous évoluions était encore, à son insu, une nation homogène. La déliaison a mis le lien social à l'ordre du jour. Le morcellement et le ressentiment communautaires ont fait la fortune lexicale de son antonyme. C'est lorsque, dans toujours plus d'établissements, l'enseignement consiste non à transmettre son savoir mais à savoir « tenir sa classe » (comme il est dit très officiellement) que le vivre-ensemble entre dans la langue. La fréquence du mot traduit le désarroi d'une société qui voit la disparition de la chose.

En 1974, quand j'enseignais au lycée technique de Beauvais, deux décisions contradictoires ont été prises : les frontières ont été fermées, et le droit de faire venir leurs familles a été accordé aux travailleurs étrangers. C'est ainsi que, dans une Europe qui n'a plus les moyens de maîtriser les flux migratoires et qui est devenue, sous l'effet simultané du regroupement familial, de l'augmentation continue des demandeurs d'asile et de la poursuite des arrivées clandestines, un « continent d'immigration malgré lui » (Catherine Wihtol de Wenden), la France a changé, la vie a changé, le changement lui-même a changé. Il était une opération de la volonté, voici qu'il se produit sans que personne ne le programme. Il était entrepris, il est subi. Il était désiré, il est maintenant destinal. Le changement n'est plus ce que nous faisons ou ce à quoi nous aspirons, le changement est ce qui nous arrive. Et ce qui nous arrive, ce que nous prenons de plein fouet, avec ce mouvement irrésistible de recomposition et de repeuplement du monde, c'est la crise de l'intégration. L'économie, en d'autres termes, n'occupe pas seule la place que la politique a laissée vacante, notre situation ne peut se résumer à l'effacement progressif de citoyen par le travailleur-consommateur, tout n'est pas *business as usual* : il y a aussi la *discordance des usages*. Aux experts qui croient accéder par des chiffres à la chair du réel et qui affirment — calculette en main — que l'afflux des immigrés compense providentiellement la baisse de la natalité sur le Vieux Continent, l'expérience répond que les individus ne sont pas interchangeables. Si identiquement soumis soient-ils à la logique de l'intérêt, ils ne sont pas coulés dans le même moule, ils n'ont pas la même manière d'habiter ni de comprendre le monde. Aucune de ces différences n'est immuable. Aucune n'est insurmontable. Toutes ne sont pas non plus antagoniques. Mais quand, sous la mince pellicule d'universalité dont l'industrie du divertissement, les grandes compétitions sportives, les jeans et les sodas recouvrent la terre, les modes de vie se heurtent, la crise éclate. Premier symptôme de cette crise en France : la querelle de la laïcité.

Laïques contre laïques

Tout commence en octobre 1989 dans un collège de Creil, en banlieue parisienne. Trois élèves sont exclues pour avoir refusé d'ôter leur foulard islamique en classe malgré la décision du conseil d'administration. « Le collège est français, creillois et laïque. On ne va pas se laisser infester par la problématique religieuse », déclare le principal Ernest Chénière. Aussitôt la polémique éclate. L'archevêque de Paris s'insurge : « Ne faisons pas la guerre aux adolescentes beurs. Halte au feu ! » La porte-parole des protestants de France s'inquiète : « Notre France assoupie s'éveille pour repartir en guerre contre une religion. Vieille histoire qui devrait rappeler quelque chose aux parpaillots. » Le grand rabbin de France affirme qu'obliger un élève à renoncer à ses convictions religieuses pour fréquenter un établissement public constitue une atteinte au libre exercice du culte. Mais les Églises ne sont pas seules à protester.

L'exclusion suscite aussi la colère des associations antiracistes. Le MRAP estime que « d'autres communautés manifestent leur appartenance religieuse sans qu'elles fassent l'objet de sanctions ». SOS Racisme soutient qu'« en aucun cas une sanction ne peut être infligée à des élèves en vertu de leur foi ». Le principal du collège Gabriel-Havez est accusé d'avoir opté non pour la *fermeté* mais pour la *fermeture* et d'avoir maquillé d'intransigeance républicaine la violence froide d'une pure et simple mise au ban. Sensible à cette argumentation et soucieux par-dessus tout d'éviter que l'affaire ne fasse tache d'huile, Lionel Jospin, le ministre de l'Éducation nationale, plaide pour le compromis : « Dans un premier temps, les chefs d'établissement doivent établir un dialogue avec les parents et les enfants concernés pour les convaincre de renoncer à ces manifestations et leur expliquer les principes de la laïcité. [...] Si, au terme de ces discussions, des familles n'acceptent toujours pas de renoncer à tout signe religieux, l'enfant — dont la scolarité est prioritaire — doit être accueilli dans l'établissement public, c'est-à-dire dans les salles de classe comme dans la cour de récréation. L'école française est faite pour éduquer, pour intégrer, pas pour rejeter. »

Cette mansuétude est diversement accueillie. Je suis moi-même de ceux qui la condamnent alors qu'elle vient du cœur et qu'elle paraît, à première vue, aussi juste que sage. Dans un manifeste cosigné avec Élisabeth Badinter, Régis Debray, Élisabeth de Fontenay et Catherine Kintzler, nous interpellons directement et vigoureusement le ministre de l'Éducation nationale : « Vous dites, Monsieur le Ministre, qu'il est exclu d'exclure. Bien que touchés par votre gentillesse, nous vous répondons [...] qu'il est permis d'interdire. [...] Négocier, comme vous le faites, en annonçant que l'on va céder, cela porte un nom : capituler. [...] Il faut que les élèves aient le loisir d'oublier leur communauté d'origine et de penser à autre chose qu'à ce qu'ils sont pour pouvoir penser par eux-mêmes. [...] Le droit à la différence qui vous est si cher n'est une liberté que s'il est assorti du droit d'être différent de sa différence. Dans le cas contraire, c'est un piège, voire un esclavage. »

Pour se donner de l'air et calmer le jeu, Lionel Jospin demande l'avis des Sages du Conseil d'État. Ceux-ci, tout en refusant de considérer les signes religieux comme contraires à la laïcité, posent certaines limites et confient aux chefs d'établissement le soin d'apprécier s'il y a exagération, prosélytisme, propagande ou perturbation du bon déroulement des activités d'enseignement. Le 12 décembre, le ministre publie une circulaire qui se conforme à cet avis juridique mais, comme cet avis n'est pas clair, les contentieux se multiplient. Les parents des jeunes filles qui se sont vu interdire le port du foulard saisissent la justice, et l'une des affaires remonte jusqu'au Conseil d'État. Ce dernier, statuant cette fois en forme juridictionnelle, annule l'exclusion des jeunes filles prononcée par le collège en application de son règlement intérieur (qui interdisait le port de tout signe religieux distinctif). Le commissaire du gouvernement, David Kessler, justifie la décision en ces termes : « La neutralité de l'école, c'est la neutralité de l'enseignement, l'école ne doit véhiculer aucune idéologie qui puisse heurter la conscience des élèves. » David Kessler prend à son compte, en les rajeunissant, les termes de Jules Ferry dans son admirable « Lettre aux instituteurs » : « Demandez-vous s'il se trouve, à votre connaissance, un seul honnête homme qui puisse être froissé de ce que vous allez dire. Demandez-vous si un père de famille, je dis un seul, présent à votre classe et vous écoutant, pourrait de bonne foi refuser son assentiment à ce qu'il vous entendrait dire. Si oui, abstenez-vous de le dire ; sinon, parlez hardiment, car ce que vous allez communiquer à l'enfant, ce n'est pas votre propre sagesse, c'est la sagesse du genre humain. »

Mais, ajoute Kessler, la neutralité ne s'impose pas directement comme telle aux élèves.

Ils viennent à l'école avec leur religion et, pour peu qu'ils assistent à tous les cours et ne se rendent coupables d'aucun acte de prosélytisme, ils ont le droit de le faire. Il n'y a aucune raison de demander à l'élève, qui n'est pas un agent du service public mais son bénéficiaire, qu'il s'interdise de manifester sa croyance. Le commissaire du gouvernement en arrive donc à la conclusion suivante : « Quand on a affaire à une liberté, on peut limiter cette liberté parce qu'elle vient heurter d'autres libertés mais aucune limitation ne peut être générale et absolue. » Et puisqu'il ne peut y avoir d'interdiction générale et absolue, « il faut voir dans chaque cas de figure si le signe est en lui-même ostentatoire, prosélyte ou provocateur ».

Après une telle décision les cas litigieux se multiplient, des avis contradictoires sont rendus, le juge administratif est saisi de contentieux toujours plus nombreux. Ce qui conduit en 1994 le ministre de l'Éducation nationale, François Bayrou, à adresser une circulaire à tous les chefs d'établissement où l'on lit : « Cette idée française de la nation et de la République est, par nature, respectueuse de toutes les convictions, en particulier des convictions religieuses, politiques et des traditions culturelles. Mais elle exclut l'éclatement de la nation en communautés séparées, indifférentes les unes aux autres, ne considérant que leurs propres règles et leurs propres lois, engagées dans une simple coexistence. La nation n'est pas seulement un ensemble de citoyens détenteurs de droits individuels. Elle est une communauté de destin. » Le ministre propose donc d'insérer l'article suivant dans le règlement intérieur des établissements : « Le port par les élèves de signes discrets manifestant leur attachement personnel à des convictions, notamment religieuses, est admis dans l'établissement. Mais les signes ostentatoires, qui constituent en eux-mêmes des éléments de prosélytisme ou de discrimination, sont interdits. » Il y aurait donc signes et signes. Mais comment tracer avec certitude la frontière entre ceux qui auraient droit de cité dans une école laïque et ceux qui offenseraient la laïcité ? Faute d'un critère évident, la jurisprudence demeure flottante et conduit à des décisions variées des tribunaux administratifs. Certains considèrent que le port du voile est en soi un élément de prosélytisme, d'autres non. Bref, le problème n'est pas résolu. Aussi, en 2003, le chef de l'État, Jacques Chirac, charge-t-il Bernard Stasi, homme politique respecté de tous, de présider une commission de réflexion sur le principe de laïcité dans la République.

La majorité des membres de cette commission sont hostiles à une loi d'interdiction et favorables à la négociation au cas par cas. Ce sont les auditions des intervenants du terrain qui les conduisent à changer d'avis. Ces derniers expriment leur inquiétude et leur désarroi devant un phénomène jusqu'alors peu perceptible en France : le communautarisme qui fait prévaloir l'allégeance à un groupe particulier sur l'appartenance à la République et les convictions propres à ce groupe sur la règle générale. Après avoir entendu des chefs d'établissement, des responsables associatifs, ainsi que des représentants des partis politiques, des syndicats, des grandes religions, de la franc-maçonnerie et des organisations laïques, la commission Stasi préconise, à l'unanimité moins une abstention, l'interdiction pure et simple de signes religieux à l'école.

Et elle a été écoutée. Le 15 mars 2004, le parlement français votait une loi interdisant les signes dont le port conduit immédiatement à faire reconnaître son appartenance religieuse, tels que le voile islamique, la kippa, la croix de dimension manifestement excessive.

Sur la laïcité, les Français n'en sont pas à leur première bataille. Il a fallu la Révolution, rien de moins, pour que l'État se sécularise et l'école républicaine est née, un siècle plus tard, d'une lutte acharnée entre les laïques et les cléricaux. Ces derniers ne voulaient pas seulement défendre ce qui leur restait de pouvoir. Ils pensaient sincèrement que, si Dieu tombait dans l'oubli, rien ne retiendrait les hommes de mal faire. Or, argumentait Mgr Freppel, archevêque de Paris : « Ne pas parler de Dieu à l'enfant pendant sept ans, alors qu'on l'instruit six heures par jour, c'est lui faire accroire positivement que Dieu n'existe pas ou qu'on n'a nul besoin de lui. » Réponse cinglante de Ferdinand Buisson, l'un des maîtres d'œuvre de la laïcité républicaine : « On devient clérical à l'instant précis où l'on incline sa raison et sa conscience sous une autorité extérieure qui s'arroge et à qui on reconnaît un caractère divin. » Sous prétexte de moraliser les âmes, autrement dit, le cléricalisme asservit les esprits. Ce mensonge doit être dénoncé et remplacé par l'application du programme des Lumières magnifiquement défini par Kant comme « la sortie de l'homme de l'état de minorité dont il est lui-même responsable. L'état de tutelle est l'incapacité de se servir de son propre entendement sans la conduite d'un autre. [...] *Sapere aude !* Aie le courage de te servir de ton propre entendement. Voilà la devise des Lumières ». Cette résolution cependant ne peut venir toute seule. Le courage ne suffit pas : nous sommes jetés dans la mare de l'ignorance et ce n'est pas en nous tirant nous-mêmes par les cheveux, comme le baron de Münchhausen, que nous en sortirons. Pour le dire d'une autre image : nous ne naissons pas tout armés de la cuisse de Jupiter. Bref nous avons besoin d'instruction, c'est-à-dire de maîtres, pour pouvoir, au bout du compte, nous affranchir de toute direction étrangère. Nul ne pense par lui-même sans détour par les autres, et notamment par ce qui a été pensé avant lui. Comme le dit admirablement le mathématicien Laurent Lafforgue : « La faculté de penser fait partie du propre de l'homme et elle est donnée à chacun, mais la pensée elle-même en ses diverses manifestations qui composent la culture, n'est pas innée. Elle est une lente construction humaine, une tradition, un héritage que chaque génération reçoit de la précédente qu'elle retravaille, enrichit, transforme et approfondit. L'école est par définition le lieu où les nouvelles générations sont introduites dans les traditions culturelles de l'humanité qui portent la pensée. » Dans la grande querelle du curé et de l'instituteur, deux autorités se font face : l'autorité devant laquelle la pensée s'incline, l'autorité par laquelle la pensée s'affirme ; la parole révélée et le meilleur de la parole humaine. Et ces deux autorités, comme l'observe Waldeck-Rousseau, à l'orée du XXe siècle, forment « deux jeunesses qui grandissent sans se connaître, jusqu'au jour où elles se rencontreront, si dissemblables qu'elles risqueront de ne plus se comprendre ».

Mais on aurait tort de croire qu'avec l'affaire des signes religieux, la guerre de la France des

Lumières et de la France dévote est, après une longue accalmie, repartie de plus belle. Le cléricalisme était autrefois l'ennemi contre lequel se rassemblaient toutes les familles de la gauche. Cet ennemi a disparu. Aucun parti, aucune église, aucun mouvement de pensée n'exige de voir la loi divine gouverner la cité terrestre. Aucun ne fait même expressément référence au Ciel. Tous entendent se situer à hauteur d'homme. Les croyants comme les athées affirment aujourd'hui le primat de la liberté subjective. Effrayé par « l'inondation démocratique » de février 1848, le bon Monsieur Thiers, pourtant républicain dans l'âme, donnait encore mandat aux curés de contrer « les détestables instituteurs laïques » et de « propager cette bonne philosophie qui apprend que l'homme est ici pour souffrir ». Depuis lors, « l'inondation démocratique » a tout submergé. Celui qui croit au ciel et celui qui n'y croit pas communient dans l'idée que l'homme est ici non pour souffrir, mais pour *s'accomplir*. Deux groupes, une nouvelle fois, s'affrontent, bloc contre bloc, mais ces deux groupes parlent le même langage. Ils se rangent passionnément sous la même bannière. Ils ne sont pas la gauche et la droite, le progrès et la réaction, le parti de la confiance en l'homme et le parti de la tutelle de Dieu. Ils s'accusent mutuellement d'intégrisme, car ils sont, l'un et l'autre, laïques. Il n'y a que des

laïques désormais en France et plus généralement dans les sociétés occidentales. En Pologne
où la foi reste très vivace, c'est en termes inté-
gralement séculiers que *Gazeta*, le journal issu
de la dissidence, condamne l'interdiction des
signes religieux dans les écoles françaises :
« Comment se fait-il que la France, patrie des
droits de l'homme et berceau de la démocratie moderne, pratique cette forme indigne de
discrimination ? » Même fulmination parmi les
élites anglo-saxonnes. Lors d'un meeting au
London City Hall, celui qui était alors le maire
de la ville, Ken Livingstone (surnommé Ken le
Rouge en raison de son passé trotskiste), est lit-
téralement sorti de ses gonds : rompant avec la
grande tradition britannique de l'*understatement*,
il a dit de la loi française sur les signes religieux
dans les écoles publiques qu'elle était « le texte
législatif le plus réactionnaire qu'un parlement
ait eu à voter en Europe depuis la Seconde
Guerre mondiale »… Pourquoi réactionnaire ?
Parce que, répond cette fois le *New York Times*,
cette loi n'est pas tant sacrilège que liberticide.
Elle n'offense pas Dieu, elle opprime les individus. À rebours de l'ancien parti dévot, les nouveaux chevaliers de la foi choisissent, contre
toute forme de coercition, la voie de l'autorisation. Leur religion n'est plus la religion, mais
les droits de l'homme. Ils plaident non pour
la direction sacerdotale des consciences, mais

pour que soit laissé à chaque conscience le soin de diriger sa vie. Et ces indignés ne manquent jamais une occasion de dénoncer le grand scandale. Aujourd'hui, lorsqu'un touriste français croise un touriste américain en Inde, dans le Péloponnèse ou sur un étroit sentier de la cordillère des Andes, et qu'après les formalités d'usage la discussion s'enclenche, il se retrouve très vite sur la sellette pour la politique pratiquée par son gouvernement à l'encontre de la communauté musulmane. S'il affirme, comme nous le faisions en 1989, que « tolérer le foulard islamique, ce n'est pas accueillir un être libre (en l'occurrence une jeune fille), c'est ouvrir la porte à ceux qui ont décidé de lui faire plier l'échine », son interlocuteur rétorque, cinglant, que l'interdiction est un abus de pouvoir motivé par une injustifiable réaction de rejet.

Cette véhémence a ses lettres de noblesse. Elle s'appuie sur une philosophie qui a pris naissance en Europe au XVIIe siècle, c'est-à-dire avant le conflit de la Religion et des Lumières. Épuisées, dévastées par les guerres civiles religieuses qu'avait provoquées le schisme protestant, les sociétés européennes se sont progressivement rendu compte qu'il leur fallait accepter le désaccord sur les finalités ultimes de l'existence pour survivre et former encore un monde commun. Le pluralisme est l'enfant du premier « Plus jamais ça ! » de l'histoire européenne. Il a été introduit de guerre lasse et cette acclimatation s'est faite en deux temps. La règle du *cujus regio, ejus religio* a d'abord été adoptée. Chaque souverain décidait de la religion de ses sujets et s'abstenait simultanément de chercher querelle aux autres monarques. Mais la solution absolutiste ne pouvait survivre durablement à l'éclatement de la vérité absolue en une myriade de vérités relatives.

À ceux qui concluaient de toutes les Saint-Barthélemy européennes qu'« il n'y a pas de peste plus dangereuse que la multiplication des religions parce que cela met en dissension les voisins avec les voisins, les pères avec les enfants, les maris avec les femmes, le prince avec ses sujets », Pierre Bayle a fait cette objection décisive : « Si la multiplicité des religions nuit à un État, c'est uniquement parce que l'une ne veut pas tolérer l'autre, mais l'engloutir par la voie des persécutions. » Et le respect de la variété des perspectives philosophiques, religieuses ou morales a fini par s'imposer comme le seul modèle susceptible de garantir la paix sociale. Le dernier mot du premier « Plus jamais ça ! » est donc revenu à Bayle, et à Diderot : « Si vos opinions vous autorisent à me haïr, pourquoi mes opinions ne m'autoriseront-elles pas à vous haïr aussi ? Si vous criez : c'est moi qui ai la vérité de mon côté, je crierai aussi haut que vous : c'est moi qui ai la vérité de mon côté ;

mais j'ajouterai : et qu'importe qui se trompe ou de vous ou de moi, pourvu que la paix soit entre nous ? Si je suis aveugle, faut-il que vous frappiez un aveugle au visage ? »

Homme des Lumières s'il en est, l'encyclopédiste Diderot rappelle ici que la modernité, ce n'est pas seulement le rejet de l'hétéronomie, c'est le rapport critique à soi du sujet autonome ; c'est l'individu sortant de l'état de minorité et, dans le même temps, reconnaissant sa finitude. Aucune parole sacrée ne limite l'exercice de son intelligence ni ne lui donne l'assurance d'avoir le dernier mot. Il a vaincu sa timidité et perdu l'invulnérabilité que conférait le Dogme. Il ose savoir et, dès lors qu'il n'est plus dans la confidence du Très-Haut, il se sait faillible. La laïcité occidentale est fille de cet orgueil et de cette modestie, de l'audacieuse émancipation et de la sobre tolérance. Une sobriété à l'œuvre chez Benjamin Constant, l'une des figures majeures du libéralisme politique, lorsqu'il écrit : « Que l'autorité se borne à être juste, nous nous chargerons d'être heureux. » Il y a primauté du Juste sur le Bien, car, une fois qu'on a fait le deuil de tout absolu, de son bien, chacun est juge. Ce n'est pas à une instance surplombante, quelle qu'elle soit, de le fixer et de le prescrire. Aucune définition de la vie bonne ne doit prévaloir, aucune vérité ne doit régner. Laïque est l'État qui nous permet, dans le respect des règles de droit, de conduire notre existence comme nous l'entendons, comme ça nous chante, à la lumière de nos propres choix de conscience.

D'où le fait que, dans nos sociétés, le vivre-ensemble soit le contraire d'un vivre *ensemble*. Ce n'est pas un vivre à l'unisson mais un vivre à distance, chacun selon ses convictions, ses envies, ses habitudes, libre des autres et en paix avec eux. Telle est la liberté des Modernes, cette « jouissance paisible de l'indépendance privée », comme dit encore Benjamin Constant. Une telle jouissance, il est vrai, ne va pas sans frustration ni amertume. La dispersion des individus est bien loin, en effet, de satisfaire toutes les aspirations individuelles. Elle nourrit même la nostalgie d'une modalité de la vie à plusieurs plus riche, plus intense, plus *conviviale*. Plongé dans l'anomie, on rêve d'harmonie et de chaleur enveloppante. Mais nous le savons (ou nous devrions le savoir), en voulant abolir la distance entre les êtres et remédier à la soli-tude du quant-à-soi par l'institutionnalisation de la fraternité et de la transparence, le commu-nisme n'a pas ouvert aux hommes le chemin du paradis, il a construit méthodiquement l'enfer sur terre : s'il est sûr qu'une société d'où serait banni l'esprit de fraternité tomberait dans la férocité sans phrase du *struggle for life*, il n'est pas moins avéré que les utopies fusionnelles sont vouées, aussitôt entrées dans l'histoire, à devenir totalitaires. Quand tout est mis en commun, ces simples mots : « Cela ne vous regarde pas ! » sonnent comme une trahison : les rideaux sont arrachés, il n'y a de vie que publique, le règne de *Big Brother* peut commencer. Et que disent justement aux autorités françaises les adversaires de la législation sur le voile ? « Vous n'êtes pas partout chez vous. Les choix religieux ne relèvent pas de votre compétence. Mêlez-vous de ce qui vous regarde ! » L'argumentaire qu'ils mobilisent contre l'immixtion de l'État sort tout droit de Benjamin Constant.

En France comme à l'étranger, l'intransigeance républicaine se voit donc opposer la liberté des Modernes. « L'idée-force qui doit guider l'Administration, c'est que son rôle s'arrête là où commence ce qui est de l'ordre du privé », affirmait le commissaire du gouvernement en 1993. Il est certain que porter un foulard, c'est faire entrer le privé dans l'espace public. Mais tant que cette manifestation n'est pas agressive ni prosélyte, elle reste de l'ordre du privé et l'État « n'a pas à s'opposer à cette coutume au nom d'une loi qu'il poserait en interdisant cette coutume ».

Dix ans plus tard, alors que le Parlement s'apprêtait à voter l'interdiction, un jeune manifestant musulman déclarait devant les caméras : « Nous ne revendiquons aucun privilège, nous voulons que l'école soit à l'image de la société, telle quelle. » La société, rien que la société, mais la société sans exception, la société dans toutes ses composantes. Visiblement habité par une foi brûlante, il ne prenait pas pour autant le parti du sacré contre la laïcité, il s'enveloppait, contre le sacré laïque, dans le drapeau du profane. Il parlait la langue du terrain, non celle du Coran. Il évitait soigneusement de se présenter comme l'ambassadeur de l'au-delà, l'émissaire zélé d'Allah le Miséricordieux. Mandataire de l'ici-bas, défenseur sourcilleux des droits de l'homme et de la tolérance, le fanatique qu'il était empruntait au scepticisme libéral sa rhétorique et son principe fondateur : à chacun sa vérité. Il ne s'adossait pas à une autorité transcendante : délaissant l'idiome du culte pour celui de la culture, il contestait, au contraire, la transcendance indue de l'école, son privilège d'extraterritorialité et demandait qu'elle soit absorbée dans la chatoyante immanence du monde réel. Nulle trace de communautarisme enfin dans les propos de ce manifestant. Quand il parlait de la société, ce n'était, en aucun cas, pour affirmer la primauté ontologique du tout sur les parties. Résolument antitotalitaire, il se gardait bien de dire que l'individu devait être subordonné à sa communauté : il voulait, la main sur le cœur, renforcer son indépendance vis-à-vis du pouvoir de l'État.

Ferdinand Buisson ou Jules Ferry ne se contenteraient pas de dénoncer l'hypocrisie de ce discours et de mettre au jour son agenda holiste, ils lui opposeraient une très ferme fin de non-recevoir. Il ne revient pas à l'école, diraient-ils, d'être à l'image de la société (que celle-ci soit conçue comme une addition de communautés ou comme une association d'individus) mais de la tenir à distance. L'enceinte scolaire délimite un espace séparé, singulier, irréductible. Elle n'est ni un appendice de la famille, ni un prolongement du forum, ni un étal sur le marché, ni non plus une antenne gouvernementale. Avant Kant et les Lumières, le premier à avoir philosophiquement configuré cet espace est notre plus grand penseur chrétien : Pascal. La vie humaine, lit-on dans les *Pensées*, n'est pas d'un seul tenant. Elle n'est pas non plus tiraillée entre les deux patries du Ciel et de la Terre, comme le soutient la métaphysique classique. Elle se déploie sur trois registres : l'ordre de la chair, l'ordre de l'esprit, l'ordre de la charité : « La distance infinie des corps aux esprits figure la distance infiniment plus infinie des esprits à la charité car elle est surnaturelle. » Située au sommet de l'échelle, la charité témoigne de Dieu et porte sa marque. Elle est un influx de grâce ou, comme le dit Léon Brunschvicg, « une subvention transcendante aux forces de la nature en nous ». Naturel est l'amour de soi, surnaturel le renversement du pour soi en pour autrui. Mais si le principe religieux reste le principe suprême, il a cessé d'être hégémonique ou englobant. La vie de l'esprit (ce que nous appelons la culture) n'est pas de son ressort. Elle ne relève pas davantage de la vie matérielle. Elle ne se résume pas à la sensibilité. Elle obéit à ses propres lois, forge ses propres critères, promeut ses valeurs et ses hiérarchies : « Tout l'éclat des grandeurs de chair n'a point de lustre pour les gens qui sont dans les recherches de l'esprit. La grandeur des gens d'esprit est invisible aux rois, aux riches, aux capitaines, à des gens de chair. »

Avec la séparation des ordres, Pascal donne à la laïcité sa définition la plus rigoureuse : non pas seulement rendre à César ce qui est à César et à Dieu ce qui lui revient, mais dégager la vie de l'esprit de la tutelle religieuse sans pour autant la faire tomber sous la coupe de la politique ou de l'économie. Le mystique Pascal est éminemment laïque en ceci qu'il reconnaît, entre chair et charité, l'indépendance de l'ordre spirituel. Contre la vieille alternative qui, face au temporel, confondait le spirituel et le divin, il circonscrit et il sécularise le territoire de l'esprit. Et ce territoire, écrit Péguy, au moment où se crée l'école républicaine, est celui de l'instituteur : « Ce n'est pas un président du Conseil […], ce n'est pas une majorité qu'il faut que l'instituteur dans la commune représente […], il est le seul et l'inestimable représentant des poètes et des artistes, des philosophes et de tous les hommes qui ont fait et qui maintiennent l'humanité. Il doit assurer la représentation de la culture. »

Ainsi s'exprimait, il y a un siècle, la laïcité. Elle a aujourd'hui abandonné ce pathos et cette ambition. Certes les enseignants sont plus que jamais jaloux de leur indépendance, et ils démontrent par la régularité de leurs grèves et le nombre de leurs manifestations qu'ils ne sont pas des rouages de l'État ni, *horresco referens*, les représentants du gouvernement. Ils mènent la vie dure à tous les ministres de l'Éducation nationale, quelle que soit leur politique et quelle que soit leur couleur. Mais combien sont-ils à se croire encore mandatés auprès de leurs classes par les poètes, les artistes ou les philosophes qui ont fait l'humanité ? Ces classes, il est vrai, ne ressemblent en rien à celles qu'avait en face de lui l'instituteur dont parle Péguy.

Un changement nous est arrivé là encore et qui a rompu le fil des générations. De ce changement, le sociologue Christian Baudelot s'efforce de prendre toute la mesure dans un livre-enquête, publié à l'aube de notre siècle et intitulé *Et pourtant ils lisent...* : « La pratique de la lecture, écrit-il, n'est plus parmi les jeunes l'objet d'une valorisation et d'une légitimation

aussi fortes qu'il y a trente ans. Le livre a cessé
d'être la source de connaissance et de plaisir qu'il a pu être pour certains. » Les autres
sources sont la télévision, les ordinateurs, les
consoles de jeux, les « téléphones intelligents ».
Et ces nouveaux supports modifient les comportements de leurs usagers : « On fait plusieurs
choses à la fois et de moins en moins longtemps
la même chose. »

Lucide, le sociologue garde pourtant le sourire. Il refuse de se ranger sous la triste bannière des orphelins du temps jadis. Il ne porte
pas le deuil : serein, optimiste même, il laisse
les larmes aux nostalgiques et la nostalgie aux
réactionnaires. Pourquoi se lamenter, en effet ?
Que les livres soient désormais des moyens
d'information et des objets de consommation
comme les autres, qu'on lise des magazines ou
des blogs sur le réseau plutôt que des ouvrages
consacrés sur papier bible, c'est une bonne
nouvelle pour une société qui ne s'agenouille
devant rien et qui, précisément parce qu'elle
est laïque, ne veut prescrire aucun modèle. À
la religion s'opposait la culture. Mais est-ce vraiment une opposition ? Non, répond Baudelot,
car la culture était aussi une religion. On véné-
rait les œuvres de l'esprit, on s'inclinait devant
leur grandeur. Le temps est venu de dissiper
cette aura et de *laïciser la laïcité* elle-même. Aux
derniers enseignants péguystes qui s'obstinent à

vouloir assurer la représentation de la culture, Christian Baudelot demande de lâcher prise et d'entrer enfin dans l'âge séculier de l'immanence radicale.

Le sociologue peut être content. Nous y sommes. L'école distribue l'instruction à pleines mains selon le vœu de Gambetta. Mais c'est une autre instruction et c'est une autre école que celle qui tirait sa raison d'être et ses règles de fonctionnement de l'idée pascalienne d'une humanité à trois dimensions. L'ancien vocable enrobe une réalité toute nouvelle. Quand existait un ordre de l'esprit distinct de l'ordre de la chair et de celui de la charité, une métamorphose subtile s'opérait dans la classe. L'enfant ou l'adolescent se déprenait de ses pulsions, de ses affects, de ses affiliations et de ses croyances. Il n'était plus rivé à lui-même, il devenait autre en quittant le cocon originel pour la froideur de l'institution. L'épreuve était rude. Mais il ne s'en portait pas forcément plus mal, comme le montre Alain dans ses *Propos sur l'éducation* : « Peut-être l'enfant est-il délivré de l'amour par cette cloche et par ce maître sans cœur. [...] Oui, insensible aux gentillesses du cœur qui, ici, ne sont plus comptées. Il doit l'être, et il l'est. Ici apparaissent le vrai et le juste mais mesurés à l'âge. Ici est effacé le bonheur d'exister ; tout est d'abord extérieur et étranger. L'humain se montre en ce langage réglé, en ce ton chantant, en ces exercices, et même en ces fautes qui sont de cérémonie, et n'engagent point le cœur. Une certaine indifférence s'y montre. » Indifférence salutaire : c'est une chance et non une déchéance que toutes les relations entre les hommes ne soient pas soumises à la loi de l'amour. Heureusement pour l'humanité, d'autres sentiments sont possibles, ainsi d'ailleurs que des relations *asentimentales*. La transmission des savoirs a tout à perdre de la confusion du *cognitif* et de l'*affectif*. « Qui aime bien, châtie bien », dit l'adage. Mais il est donné à celui que l'amour ne tient pas sous son emprise de pouvoir réprimander sans souffrir ni faire mal : « À l'école se montre la justice, qui se passe d'aimer, et qui n'a pas à pardonner, parce qu'elle n'est jamais réellement offensée. La force du maître, quand il blâme, c'est qu'à l'instant d'après, il n'y pensera plus. Et l'enfant le sait très bien. » Pourquoi le sait-il très bien ? Parce qu'il n'est pas l'enfant du maître ni un de ses « gamins », comme disent aujourd'hui les spécialistes de l'éducation, mais son *élève*. À l'époque d'Alain, c'est la blouse qui faisait un élève et qui, en recouvrant tous les insignes, l'introduisait dans le territoire de l'esprit. Je n'ai pas porté la blouse, sinon à l'école primaire, mais j'appartiens à l'une des dernières générations qui aient bénéficié de cette distinction. Elle a été bruyamment remise en cause en 68 et supprimée depuis. Nul ne songerait aujourd'hui à la restaurer alors même qu'il n'est partout question que de refondation de l'école. L'effacement de la réalité spécifique de l'élève accompagne, au contraire, la destitution de l'ordre spécifiquement spirituel. Et l'enfant lui-même change de statut.

Tandis que, sauf dans les dernières enclaves de l'élitisme républicain, les professeurs sont invités à faire preuve de toujours moins de sévérité, c'est-à-dire d'exigence intellectuelle, et de toujours plus de sollicitude, c'est-à-dire, dans la langue de Pascal, de charité, en supprimant les notes ou en préférant la « note encourageante » à la « note vraie », un nouveau sujet historique, apparu sur la scène du monde dans les années soixante du XXe siècle, réclame aujourd'hui son dû : le *jeune*. La jeunesse est, si l'on ose dire, une réalité aussi vieille que l'humanité, mais ce qui différencie le jeune des enfants et des adolescents de toujours, c'est qu'il campe désormais sur lui-même, qu'il est un être plein, un individu à part entière, juge de ses intérêts, fort de ses opinions, titulaire de ses goûts et aversions, jaloux de son idiome, de sa musique, de ses choix vestimentaires. Il sait ce qui lui plaît, il sait ce qui est nul, et si d'aventure il ne le sait pas, ses pairs se chargeront de le lui faire savoir. Le marché, qui plus est, entérine ses désirs et s'applique à les satisfaire avec tous les égards que l'on doit à un consommateur insatiable. Courtisé, honoré, adulé par l'industrie du divertissement, il ne se définit plus par son inachèvement. Rien ne lui manque. Il ne peut vouloir qu'on l'élève : il est sur un trône. La liberté des Modernes que Benjamin Constant, d'accord en cela avec Kant, réservait à l'adulte, lui échoit aujourd'hui sans discussion. Nous reviendrons sur la dynamique égalitaire dont le peuple juvénile est le produit. Constatons, pour le moment, que l'Éducation nationale prend acte de son émergence en adoptant un nouveau principe directeur : l'ouverture sur la vie. La vie, c'est-à-dire l'ici et maintenant, les nouvelles technologies, le monde sous l'angle des besoins : tout ce qui intéresse le jeune, tout ce qui l'excite, tout ce qui lui est utile, rien de ce qui le dépayse. L'âge des possibles est devenu, pour son malheur, l'âge référent. On ne dit plus comme Alain : « L'école est un lieu admirable où les bruits extérieurs ne pénètrent point. J'aime ces murs nus. » On demande, au contraire, comme l'historien François Durpaire et la sociologue Béatrice Mabilon-Bonfils, que les démarches pédagogiques fassent travailler les élites « avec les outils de la vie quotidienne (tablettes, smartphones) ». Et l'on se félicite avec François Dubet, un autre sociologue, de voir que « les murs des sanctuaires s'effritent devant la force des demandes sociales et des revendications individualistes ». Les murs s'effritent : l'actualité force les portes du temple, la liberté des Modernes s'invite dans les cours de récréation et les salles de classe, le présent ne se laisse plus mettre à distance, le quotidien ne s'oublie jamais, les envies de la vie envahissant l'institution, la société, avec ses codes, ses modes, ses marques, ses emblèmes, ses objets fétiches, ses signes d'appartenance et de reconnaissance, déferle à l'école.

Tel est donc le paradoxe de notre situation : au moment même où la conception libérale de la laïcité dont se sont toujours réclamés les défenseurs du voile triomphe de la laïcité républicaine et de son attachement à l'éminence de l'ordre spirituel, le voile est interdit. Le voile reste à la porte de l'école ouverte et désanctuarisée. Pourquoi la vie et pas le voile ? Pourquoi refuser cette ostentation quand chacun a le droit d'être ce qu'il est et d'en faire parade ? Que signifie cette exception au règne du « C'est mon choix » ? Quel motif profond nous l'a inspirée ? Et qu'est-ce que ce motif dit du « nous » que nous formons ?

Mixité française

« Les vives réactions françaises contre le voile islamique sont, en général, mal comprises à l'étranger où elles apparaissent comme une manifestation d'intolérance, voire de racisme, écrit Claude Habib dans son livre *Galanterie française*. La France est le seul pays occidental à ressentir le voile comme un problème, et il est également le seul à l'avoir interdit à l'école. Une telle interdiction place donc la France à part, certains même veulent la mettre au ban. Cette interdiction ne s'explique certainement pas par l'égalité des hommes et des femmes qui fut le critère constamment invoqué dans le débat public. Si l'égalité était en cause, les autres sociétés démocratiques, qui ne sont pas moins égalitaires que la nôtre, n'auraient pas manqué de prendre une mesure analogue. L'égalité des sexes ne préoccupe pas moins la classe politique au Canada, en Hollande ou en Suède. Les islamistes ont eu beau jeu de multiplier les images de femmes voilées insérées dans la vie active, attentives devant des écrans, penchées sur des livres ou l'œil rivé sur un microscope. Ils n'ont pas manqué de seriner que le voile n'empêche pas la participation au monde du travail et que ce qui l'empêche, à coup sûr, c'est l'exclusion des jeunes filles voilées hors du système scolaire. »

Ces jeunes filles, au demeurant, ne sont pas moins soucieuses de s'affirmer que de se conformer à une obligation religieuse. Avec ce petit tract d'étoffe, elles manifestent leur être, elles veulent qu'on les perçoive pour ce qu'elles sont. Leur motif, quand du moins elles ne vivent pas sous surveillance, est d'*afficher la couleur*. Le voile « s'enroule sur les têtes dans un geste où chacun brandit la bannière qui lui plaît pour exister », constate Hélé Béji, une féministe tunisienne qui n'a jamais été voilée, et les défenseurs de ces suffragettes de l'Islam au Canada, en Suède, en Angleterre ou aux Pays-Bas rappellent que, dans une société d'égale liberté, chacun doit pouvoir pratiquer sa foi, habiter sa différence et publier ses convictions sans que l'État l'inquiète ou lui cherche querelle. Certes la laïcité républicaine se démarque de l'idée de tolérance. Mais, poursuit Claude Habib, « si l'égalité n'est pas un motif pleinement convaincant, l'interdiction du voile à l'école ne s'explique pas non plus entièrement par la laïcité. Les commentateurs ont souvent souligné que la proscription des autres symboles religieux, la kippa et la croix, avait un caractère de fausse symétrie. C'est bien le voile qui était visé et lui seul ». D'où l'amertume de beaucoup de musulmans de France. Ils se sentent stigmatisés par une loi qui leur paraît exclusivement dirigée contre l'Islam. Ils pensent que, dans un pays dont le calendrier est rythmé par les fêtes chrétiennes et où la puissante communauté juive fait l'objet de toutes les attentions, ce n'est pas à la religion qu'on en a, c'est à la leur. Les récents sondages indiquant qu'une large majorité est opposée au port du voile islamique à l'université, et même dans la rue, les confortent dans ce sentiment. Ont-ils raison ? Le voile est-il interdit en tant que symbole religieux ?

Voici la réponse de Claude Habib : « L'interdiction prend sens si on la met en relation avec les pratiques de mixité dans l'ensemble de la société. Elle devient compréhensible si on la rapporte à cet arrière-plan de la tradition galante qui présuppose une visibilité du féminin, et plus précisément une visibilité heureuse, une joie d'être visible — celle-là même que certaines jeunes filles musulmanes ne peuvent ou ne veulent plus arborer. » Comme le souligne le psychanalyste Fethi Benslama dans sa *Déclaration d'insoumission à l'usage des musulmans et de ceux qui ne le sont pas*, il s'agit, par le moyen du voile, d'occulter « les signes maléfiques de séduction et de sédition » dont, selon la version la plus active et la plus combative de l'Islam, le corps féminin est porteur. En excluant le voile des lieux dévolus à la transmission, la France a clairement signifié qu'elle ne pouvait s'accommoder ni de cette occultation ni de ce réquisitoire, quand bien même certaines de celles qui en font les frais les approuveraient et les reprendraient avec enthousiasme à leur compte : le fait de valider sa propre diabolisation ne rend pas celle-ci plus acceptable.

La mixité scolaire est, c'est vrai, d'instauration récente dans notre pays. Mais cela ne veut pas dire qu'on aurait toléré le voile dans les écoles de jeunes filles car on y préparait les élites à entrer dans le monde commun, alors que le voile coupe, une fois pour toutes, le monde en deux et règle la coexistence des sexes sur le principe d'une stricte séparation. Ce règlement est apparu en pleine lumière là où on l'attendait le moins : aux Jeux olympiques de Londres en 2012. Le Qatar, l'Arabie Saoudite et l'Iran ont mis deux conditions, qui à leurs yeux n'en faisaient qu'une, à la participation de leurs athlètes féminines : qu'elles puissent concourir voilées et qu'elles ne soient, en aucune circonstance, mêlées à leurs homologues masculins. Pour ne pas froisser ces riches contributeurs, le Comité international olympique a plié.

C'est en France que les protestations contre cet armistice ont été les plus vives. La France peut bien s'aligner peu à peu sur le modèle de sécularisation qui prévaut dans les autres pays européens ; la laïcité libérale peut bien, ici comme ailleurs, prendre le pas sur la laïcité républicaine — ce qui résiste au voile islamique, c'est une façon d'être antérieure au libéralisme sceptique aussi bien qu'aux conquérantes Lumières. Le mot de « galanterie » qui désigne cette façon d'être couvrait dans la langue classique tout le champ de la distinction et de l'élégance. « La galanterie est plus *plausible*, quand on en use envers un ennemi. Il ne faut pas vaincre seulement par la force mais encore par la manière », lit-on dans la belle traduction par Amelot de La Houssaye du chef-d'œuvre de Baltasar Gracián, *L'Homme de cour*. Et la maxime se conclut ainsi : « Un brave homme doit se piquer d'être tel que si la galanterie, la générosité et la fidélité se perdaient dans le monde, elles se retrouveraient dans son cœur. » Il va sans dire que les qualités énumérées par Gracián englobent la courtoisie et les égards envers les femmes : *faiblesse oblige*.

C'est David Hume qui a le mieux saisi ce paradoxe fondateur du savoir-vivre : « Les vieilles gens ayant conscience de leurs infirmités redoutent naturellement le mépris des jeunes : c'est pourquoi une jeunesse bien éduquée multiplie les marques de respect et de déférence envers ses aînés. Les étrangers et les inconnus sont sans protection : c'est pourquoi, dans toutes les nations polies, ils reçoivent des marques de la plus grande civilité et se voient offrir la place d'honneur dans chaque compagnie. [...] La galanterie n'est qu'un autre exemple de la même attention généreuse. Comme la nature a donné à l'homme la supériorité sur la femme, en lui conférant une plus grande force de corps et d'esprit, il lui revient de compenser autant que possible cet avantage par la générosité de son comportement et par une complaisance et une déférence marquées envers toutes les inclinations et les opinions du beau sexe. » Là, nous dit Hume, réside le critère discriminant de la civilisation : « Les nations barbares affichent la supériorité de l'homme en réduisant les femmes à l'esclavage le plus abject : elles sont enfermées, battues, vendues ou tuées. Tandis que dans une nation polie, le sexe masculin manifeste son autorité de manière plus généreuse, mais non moins marquée, par la civilité, le respect, la complaisance : en un mot, la galanterie. »

Difficile de ne pas sursauter à la lecture de ce texte. Nous autres démocrates, nous avons fait justice de la croyance dans la supériorité des hommes sur les femmes. L'égalité a triomphé de ce préjugé. La hiérarchie du masculin et du féminin n'est plus, là où elle demeure, fondée en nature. Nous savons que l'ordre des choses est historiquement et socialement construit. Contrairement à Hume, nous distinguons soigneusement le sexe (catégorie biologique) et le genre (catégorie culturelle) et nous nous désolons de voir nos contemporains les plus rétrogrades continuer de prendre l'un pour l'autre.

Il ne faudrait pas pourtant ranger trop vite Hume dans le camp de la domination. Car il écrit aussi : « De même que ce serait une négligence impardonnable pour un ambassadeur que d'omettre de présenter ses hommages au souverain de l'État où il est chargé de résider, de même serait-il absolument inexcusable que je ne m'adresse point, avec un respect particulier, au beau sexe qui règne en souverain sur l'empire de la conversation. » Or, c'est dans la conversation, quand, selon le mot de Montaigne, la cause de la vérité est la « cause commune » de tous les interlocuteurs, que la pensée se cherche, s'expose et progresse à l'épreuve d'autres paroles. Mais Hume ne s'arrête pas à cet éloge. Portant le regard au-delà de son île, il voit avec admiration le magistère des femmes s'exercer dans tous les domaines de la vie de l'esprit : « Dans une nation voisine, également réputée pour le bon goût et la galanterie qui y règnent, les dames sont, d'une certaine manière, les souveraines du monde de l'érudition comme de celui de la conversation. Et aucun écrivain poli n'a l'outrecuidance d'affronter le public sans l'approbation de certains juges réputés qui appartiennent à leur sexe. » Cette nation voisine, c'est la France, la France de Mme de Rambouillet, de Mme de Lambert, de Mme de Tencin, de Mme Geoffrin, de Mme du Deffand, de Mlle de Lespinasse, de Mme d'Épinay et Mme Necker, cette France des salons dont Edith Wharton dira, à la fin de la Première Guerre mondiale, qu'elle fut « la meilleure école d'expression et d'idées qu'ait connue le monde moderne » car elle reposait sur « la croyance qu'il n'y a pas de conversation plus stimulante qu'entre hommes et femmes intelligents qui s'y fréquentent assez régulièrement pour avoir une relation d'amitié franche et aisée ».

Ne caricaturons pas Hume donc. Et n'oublions pas non plus ce que les rituels minuscules comme céder le pas, régler les consommations, tenir la porte doivent au besoin d'expier le privilège de la force par la délicatesse du comportement. « Tout homme de goût et d'une certaine élévation d'âme doit avoir le besoin de demander pardon du pouvoir qu'il possède », écrit Mme de Staël. Et ni la libéralisation des mœurs ni les progrès de l'égalité n'ont abrogé cette modalité du devoir.

Mais la galanterie n'est pas seulement égard pour la fragilité. Elle est surtout tribut à la féminité. Elle procède d'une connivence sur le fait que les femmes plaisent et qu'il est licite sinon recommandé de leur rendre hommage. Le galant homme ne se jette pas sur les femmes, il s'oblige à les séduire à leur mode, suivant les règles qu'elles fixent : il les drague en *leur faisant la cour*. D'ailleurs, s'il s'agit toujours de séduction, il ne s'agit pas toujours de drague. La galanterie est une atmosphère avant d'être une entreprise, une convention avant d'être une conquête, un jeu gratuit avant d'être un comportement intéressé, un rôle que l'on tient, une représentation que l'on donne, une furtive caresse verbale, un petit cérémonial auquel on se plie sans projet défini, comme ça, pour le plaisir, pour la forme et parce qu'on ne sait jamais.

Candide, qui était né en Allemagne et qui, comme son nom l'indique, avait le cœur sur les lèvres, ne connaissait pas cet usage. Alors quand une dame de qualité le reçoit, dans son salon parisien, et qu'elle lui demande, après avoir écouté le récit de ses mésaventures, s'il aime toujours mademoiselle Cunégonde de Thunder-tentronck, il dit naïvement la vérité qui tient en un mot : oui. Ce qui lui attire cette galante réprimande : « Vous me répondez comme un jeune homme de Westphalie ; un Français m'aurait dit : "Il est vrai que j'ai aimé mademoiselle Cunégonde, mais, en vous voyant, madame, je crains de ne la plus aimer." » Ce discours n'aurait pas été sincère. Candide aurait menti. Mais la belle marquise n'exige pas la sincérité. Ce qui importe, en l'occurrence, c'est le compliment, non le sentiment. Et après l'avoir fait à la place de Candide, elle le déniaisa si bien qu'il repartit le lendemain à la recherche de Cunégonde, tout rougissant de lui avoir été infidèle.

Comme Hume l'avait lui-même noté, cette connivence sur le fait que les femmes plaisent peut inspirer une tout autre façon d'agir et conduire à leur enfermement. C'est même la solution choisie par la plupart des sociétés où les hommes ont la préséance. Puisque les femmes sont désirables et, pire encore, désirantes, il faut les cacher, les séparer, les mettre, comme dit Usbek, le héros des *Lettres persanes*, « dans une heureuse impuissance de faillir » en les soustrayant aux regards concupiscents des hommes pour éviter le terrible déshonneur d'être cocu. Cocu : les deux syllabes du rire et de la honte. Cocu : l'infâme appellation qui ne déchaîne pas seulement l'hilarité partout où sévissent ces coutumes oppressives, mais aussi sous nos climats plus tempérés. Dans « cocu », tout amuse : le son comme le sens. Cocu : le personnage comique par excellence.

Un autre rire, cependant, résonne en nous :

le rire de Molière. Ce rire, dans *L'École des femmes*, s'est retourné contre le rire facile, le rire grégaire, le rire reptilien. Soudain, le comique change de camp. Par l'entremise de Chrysalde, l'homme raisonnable de la pièce, Molière frappe de ridicule non le cocuage mais Arnolphe, l'homme qui vit dans cette obsession :

Être avare, brutal, fourbe, méchant et lâche,
N'est rien, à votre avis, auprès de cette tâche,
Et, de quelque façon qu'on puisse avoir vécu,
On est homme d'honneur quand on n'est point cocu.

L'École des femmes civilise le concept d'honneur. Ce n'est plus le cocu qui est déshonoré aux yeux du public, c'est le personnage qui a une peur panique d'être cocu. Et c'est au pays de Molière qu'à partir de l'âge classique, qui s'est défini lui-même comme l'âge galant, on a exalté un art de vivre ensemble et de mêler les hommes et les femmes sans que le déshonneur en résulte. Dans *Le Sicilien ou l'Amour peintre*, Molière fait dire à une jeune Grecque : « L'on doit demeurer d'accord que les Français ont quelque chose en eux de poli, de galant que n'ont point les autres nations. » Et Hume, au siècle suivant, proclame la France « pays des femmes ».

Même constat chez Rifa'a al-Tahtâwî, l'un

des quarante-quatre membres de la première mission scolaire dépêchée en France par le pacha d'Égypte pour un séjour de cinq ans, entre 1826 et 1831. À Paris, il découvre, stupéfait, une étrange civilisation où tout marche à l'envers puisque les hommes « se mettent sous le commandement des femmes, qu'elles soient jolies ou non ». La précision est capitale : la galanterie ne suit pas la nature, elle y contrevient en choisissant d'inclure même les laides, même les disgracieuses dans l'hommage au « beau sexe ». Tahtâwî, habitué à considérer les femmes comme du « mobilier », se demande, en quelque sorte, comment on peut être français quand il s'aventure dans « les endroits de la danse qu'on appelle les bals ». Interloqué par le spectacle qu'il a sous les yeux, il s'attache à en décrire minutieusement la chorégraphie extravagante : « Le bal réunit toujours les hommes et les femmes dans un lieu brillamment illuminé, muni de sièges, destinés le plus souvent aux femmes. L'homme ne s'assied que quand toutes les femmes ont trouvé place. Si une femme entre alors qu'aucun siège n'est vacant, un homme se lève et lui cède le sien, et ce n'est pas à une femme de se lever ainsi. En société, la femme est toujours traitée avec plus d'égards que l'homme. Aussi, lorsqu'on entre dans la maison d'un ami, doit-on saluer la maîtresse de maison avant le maître. Celui-ci, quelque grand que soit son rang, passe après son épouse ou les femmes de la maison. » Et le voyageur n'est pas au bout de ses surprises. Il voit tout le monde en France s'adonner à la danse, comme à une expression d'élégance et de coquetterie, non de dépravation. Plus incroyable encore : « Il peut arriver, dans le cas d'une danse, que le cavalier prenne la cavalière par la taille, alors que la plupart du temps, il la tient par la main. Bref, toucher une femme, quelle qu'elle soit, à la partie supérieure de son corps, n'est pas un geste blâmable chez ces chrétiens. » Conclusion générale de Tahtâwî : « Plus un homme s'adresse aux femmes avec amabilité et fait leur éloge, plus on apprécie son savoir-vivre. »

Les temps ont changé. Ce rituel est tombé en désuétude. Nous le considérons avec la même curiosité ethnologique que le jeune cheikh égyptien. Celui-ci réservait ses salamalecs aux hommes puissants. Nous n'en faisons plus pour personne car la passion de l'égalité a simplifié nos manières : les boîtes ont remplacé les bals, l'éloge des femmes a cessé d'occuper la conversation et rien ne serait moins à sa place, de nos jours, qu'une revue comme *Le Mercure galant* à côté d'*Esprit*, du *Débat* ou de *Commentaire*. Non que la vie sexuelle et amoureuse soit refoulée par une morale pudibonde ; elle est, au contraire, l'objet de toutes les attentions. Mais nous pensons aujourd'hui que le *beau sexe* était le lot de consolation attribué au *deuxième sexe* pour qu'il reste à sa place et se tienne tranquille. Certes les Parisiennes étaient magnifiées et elles pouvaient « dévoiler leur visage, leur tête, leur gorge, leur nuque, leurs bras jusqu'aux épaules » sous les yeux écarquillés du cheikh Tahtâwî, mais elles n'étaient pas libres. Elles n'avaient ni les mêmes droits, ni les mêmes responsabilités, ni les mêmes opportunités que les hommes. Et surtout, elles dépendaient d'eux. Elles n'ont, c'est vrai, jamais été enfermées chez elles, elles recevaient dans leur maison, elles en sortaient — mais il ne leur était pas possible de lui échapper. Le culte qui leur était rendu perpétuait leur subordination. Cette période où elles vivaient sous la tutelle de ceux qui célébraient leur règne est révolue : les femmes ont pris leur destin en main et ne s'en laissent plus conter.

S'il n'y a d'affaire du voile qu'en France pourtant, c'est bien parce que la France n'en a pas tout à fait fini avec la tradition galante. D'ailleurs on ne le lui envoie pas dire. Cette singularité française vient d'être mise sur la sellette aux États-Unis, un des pays où la loi interdisant le port du voile dans les établissements scolaires a été le plus durement attaquée, à l'occasion de l'affaire Strauss-Kahn. Quelques jours après l'inculpation du directeur du Fonds monétaire international pour agression sexuelle, tentative de viol et séquestration, un forum paraissait sur le site du *New York Times*, avec cette question : « Les femmes françaises sont-elles plus tolérantes ? Place au débat. Le scandale Dominique Strauss-Kahn suscite une discussion plus large sur l'inconduite *(misconduct)* sociale des hommes de pouvoir. »

Le 20 mai 2011, Joan Scott, auteur de *La Politique du voile* et professeur à l'Institute for Advanced Study de Princeton, tire sa première salve : tandis que les autres démocraties condamnent les frasques des puissants, la France, explique-t-elle, les tolère, les absout, en fait même un trait délectable du caractère national. Ce qui est ailleurs une indignité relève pour la culture politique française de l'art de la séduction. Un « art » qu'elle cultive et qu'elle défend bec et ongles : « Depuis le bicentenaire de la Révolution française, constate Joan Scott, nombre de livres sont parus qui ont présenté l'érotisation galante de la différence comme une alternative à l'égalité entre les sexes. Les tenants de cette idéologie ont justifié leurs arguments sur l'incapacité des musulmans à assimiler la culture en affirmant qu'un jeu érotique ouvert est une composante de la *Frenchness*. Quelle ironie que la victime de l'agression sexuelle présumée de DSK soit une musulmane ! »

Joan Scott reconnaît avec Claude Habib que la France n'est pas une création de la Révolution française. Cette nation a eu beau couper la tête de son roi pour rompre avec un passé de ténèbres, les règles qui y ont cours ne sont pas toutes déductibles de la Déclaration des droits de l'homme et du citoyen. Et c'est bien là, selon Joan Scott, que le bât blesse. L'ancien régime galant survit dans la modernité républicaine : on met la femme sur un piédestal, on fait l'éloge de son charme, de son esprit, de sa toilette, de sa ligne, de son parfum, de sa beauté, de sa mine éclatante et, comme on est bien accueilli, on se croit tout permis. Les femmes françaises encouragent donc l'inconduite des hommes par leur complaisance au lieu d'y mettre le holà. Elles jouent docilement le rôle que la société leur assigne au moment même où la théorie du genre leur offre la possibilité d'en sortir et de frayer des voies nouvelles. Les plus coupables, dans cette affaire, sont les intellectuelles qui, à l'instar de Claude Habib, choisissent de figer les situations acquises et de glorifier les stéréo- types qu'elles devraient, si elles étaient fidèles à leur mandat, déconstruire. On attend d'elles la démonstration *scientifique* que l'histoire est à l'œuvre là où le sens commun croit voir se manifester la nature, et le rappel *politique* que tout ce qui est historique est *ipso facto* révo- cable, remédiable, remodelable. Mais elles font l'inverse, constatent, avec Joan Scott, toutes les chercheuses engagées dans les *gender studies* :

oubliant la grande leçon de Simone de Beauvoir — « On ne naît pas femme, on le devient » —, elles se mettent au service de l'ordre phallocratique en naturalisant ou en sacralisant l'histoire. Et elles présentent le galant homme comme celui qui exclut d'utiliser la force ou l'intimidation dans son commerce avec l'autre sexe, alors que son badinage et ses compliments dégradent les femmes au rang d'objets.

Après quelques jours de sidération et d'incrédulité, les féministes françaises ont repris à leur compte la mercuriale américaine. La presse, très vite, a fait chorus. Ses éditorialistes, de gauche comme de droite, ont appelé à un examen de conscience général et même à une véritable révolution des mentalités. Et le législateur les a entendus. Pour ne laisser passer aucune conduite litigieuse, il a resserré les mailles du filet en décrétant qu'une pression *même non répétée* « dans le but d'obtenir un acte de nature sexuelle » constituait désormais un délit. Ainsi cet oxymore — un harcèlement qui n'insiste pas — faisait-il majestueusement son entrée dans le droit positif.

Pendant ce temps, le procureur de New York abandonnait les poursuites à cause, notamment, des versions contradictoires données par la plaignante des faits qui se sont produits dans la désormais célèbre chambre 2806 de l'hôtel Sofitel à Manhattan. Le procès civil se soldait finalement par un accord secret entre les deux parties et une autre affaire de mœurs impliquant Dominique Strauss-Kahn éclatait en France. Des révélations en cascade se sont donc succédé sur le comportement privé de l'homme qui voulait être président. Et ce comportement suscite le malaise même de ceux que révulsent l'indiscrétion et la cruauté de la machine médiatico-judiciaire. Viennent à l'esprit les paroles du Philosophe (en l'occurrence Spinoza) : « L'individu entraîné par une concupiscence personnelle au point de ne plus rien voir ni faire de ce qu'exige son intérêt authentique est soumis au pire des esclavages. » Mais cet entraînement, cet esclavage, ce débordement pulsionnel ont-ils quelque chose à voir avec la galanterie ? Sont-ils le triste emblème d'un vieux pays à l'esprit mal tourné ? Est-ce, en un mot, la France qui a accusé là son retard sur l'humanité libre et accomplie ?

Je ne le crois pas. Je crois, au contraire, que la crise du vivre-ensemble remet en cause ce verdict de péremption comme le montre admirablement le film de Jean-Paul Lilienfeld *La Journée de la jupe*. Sonia Bergerac enseigne le français dans ce qu'il est convenu d'appeler un collège difficile. Poussée à bout par la violence verbale et les ricanements permanents de certains de ses élèves, elle craque et, sans l'avoir prémédité, prend sa classe en otage. L'enseignante est d'abord décontenancée quand on lui demande ce qu'elle veut car elle sait seulement ce qu'elle ne veut pas. Puis l'idée lui vient de réclamer l'instauration d'une journée spéciale où l'État affirmerait solennellement qu'on peut porter une jupe au collège et au lycée sans être une « pute ». Vêtue elle-même d'un tailleur-pantalon, la ministre de l'Intérieur s'exclame : « Et pourquoi pas une nuit du string ! On a mis des siècles pour avoir le droit au pantalon ! »

Cette réaction mérite qu'on s'y attarde et qu'on fasse un peu d'histoire. Sous l'Ancien Régime, la hiérarchie sociale était visible à l'œil nu. Les nobles portaient l'habit, la veste et la *culotte*. Celle-ci, rappelle l'historienne Christine Bard, descendait jusqu'au-dessous du genou où elle était tenue par une jarretière à boucle ou par un ruban noué. Avec la Révolution, le peuple sort de l'ombre et il ne se change pas pour entrer sur la scène de l'histoire : il apparaît comme il est, son pantalon devient même l'insigne de l'égalité des citoyens et de l'honorabilité du travail. Pour la première fois, la classe inférieure est érigée en modèle. Avec la réaction thermidorienne, le plaisir reprend ses droits : les Muscadins, les Incroyables et les Merveilleuses répondent par une débauche de coquetterie à l'opprobre dont la lutte contre l'égoïsme et toute forme de sécession avaient frappé l'élégance. Mais on ne reviendra jamais à la culotte. Vaincu politiquement, le sans-culottisme triomphe vestimentairement. Même la Restauration prend acte de cette victoire, et la différence des sexes tourne, en matière d'habillement, à l'opposition totale. La magnificence de la parure et le raffinement de la toilette sont désormais l'apanage des femmes. La mode masculine ne disparaît pas mais les hommes — du moins, parmi eux, les civils — renoncent aux couleurs chatoyantes et aux tissus précieux. Ils ne portent plus de rubans et de plumes à leurs chapeaux. Ils entrent dans l'ère démocratique en sacrifiant l'esthétique : à eux l'utilité et la commodité ; à elles, la tâche d'être belles. La beauté, en effet, n'est pas seulement une *grâce* : c'est une *ascèse.* Elle suppose toute une série de contraintes, d'entraves, de restrictions. Il n'y a pas, au XIXe siècle, de flâneuse. Le flâneur est un homme. Il faut être libre de ses mouvements pour arpenter sans fin les rues des grandes villes et pour se perdre dans la foule. Toute la mode féminine conspire contre cette liberté : « Robes, chapeaux, chaussures vouent les femmes à la sédentarité », écrit Christine Bard.

George Sand, la première, se rebelle contre ces empêchements. À douze ans, elle est encore Aurore Dupin, et déjà elle coupe les lacets du corset qui la met au supplice. Quand on le lui remet, plus serré encore, elle le jette dans une barrique à vin. Devenue adulte, sous le nom qu'elle s'est choisi pour échapper à tout destin, elle peut aussi bien porter les tenues les plus féminines quand elle va au bal que transgresser l'ordonnance de 1800 interdisant le port des habits de l'autre sexe. Au journaliste qui la prévient (« N'entreprenez pas de vous faire homme vous-même, car vous perdriez le caractère de votre sexe sans pouvoir revêtir celui de l'autre ; vous péririez entre les deux »), George Sand fait cette magnifique réponse : « Soyez rassuré, je n'ambitionne pas la dignité de l'homme, elle me paraît trop risible pour être préférée à la servilité de la femme. Mais je prétends posséder aujourd'hui et à jamais la superbe indépendance dont vous seuls croyez avoir le droit de jouir. »

George Sand était une glorieuse exception. Dans la seconde moitié du XXe siècle, l'exception est devenue la règle : toutes les femmes ont suivi sa voie. On a même du mal à imaginer, tellement leur indépendance va aujourd'hui de soi, qu'en 1976 le Premier ministre Jacques Chirac ait pu être scandalisé de voir l'une de ses ministres, Alice Saunier-Seïté, arborer un pantalon au point de lui faire dire qu'elle dégradait sa fonction et l'image de la France. Ces propos, au XXIe siècle, sont proprement inconcevables.

D'où, dans le film, la stupeur et la consternation de la ministre de l'Intérieur devant la revendication de Sonia Bergerac. Le pantalon est, pour elle, une liberté chèrement acquise. C'est la même chose, à ses yeux, que de pouvoir porter le pantalon et d'investir le domaine des affaires publiques : elle veut exister en tant que sujet et pas seulement dans le regard des hommes. Elle ne saurait donc tolérer le moindre retour en arrière. Sonia Bergerac non plus. Féministe, cette enseignante refuse toute hiérarchie des sexes. Elle doit tenir compte d'un scénario que l'histoire de l'émancipation n'avait pas inscrit à son programme : il existe désormais dans nos villes des territoires où le port d'une jupe expose les femmes et les jeunes filles à la réprobation voire à la persécution de leur entourage.

Sonia Bergerac est certes un personnage de fiction, mais c'est dans *Tableau noir. La défaite de l'école*, livre de Iannis Roder, un professeur bien réel qui enseigne l'histoire et la géographie en « zone d'éducation prioritaire », qu'on apprend que celle qui se risque à féminiser son appartenance est considérée comme — verlan oblige — « une tepu, une tassepé, une lopesa qui mérite de se faire tourner ». Et ce jugement est intériorisé par ses cibles mêmes. Des élèves confient à leur professeur que s'habiller comme une femme, c'est chercher les problèmes : « Je n'ai que ma mère, je suis un bonhomme, je suis obligée », dit l'une d'entre elles. Obligée mais consentante : « Vous savez, monsieur, je suis une fille bien, moi ! » Et une autre ratifie, dans un grand élan de servitude volontaire, le verdict sans appel de sa camarade : « De toute façon, une fille qui met une jupe, c'est une pute. »

La jupe fait de la femme un objet de désir *et donc* de mépris. C'est cette logique de malheur qui rapproche deux vêtements que tout sépare à première vue : le pantalon, d'origine masculine, symbole de la modernité, et le voile, symbole de la tradition et réservé aux femmes. Les jeunes filles qui ne portent pas le voile doivent compenser cette insolence en portant le pantalon pour dissimuler leur féminité. Mais pas n'importe quel pantalon, bien sûr. Comme le dit une jeune femme interrogée par Christine Bard : « Même mon jean-baskets, c'est pareil pour eux, c'est féminin ; mais en jogging et casquette, tu n'as aucun problème. » Camouflée sous le déguisement masculin d'un survêtement informe, elle échappe aux insultes, on la laisse tranquille. La désexualisation ou le harcèlement : telle est l'alternative qui gouverne sa vie.

La violence dans les quartiers dits *sensibles* est souvent imputée à l'exclusion sociale. La misère génère l'agressivité, la discrimination produit la délinquance, le désespoir causé par l'absence de débouchés nourrit la haine et enflamme les cités, dit la sociologie courante, cette nouvelle sagesse des nations. Elle dit vrai, bien sûr. Mais dit-elle toute la vérité ? La violence ne serait-elle pas liée aussi à l'exclusion de la féminité et au désert affectif qui en résulte ? N'est-elle pas une conséquence du *déni de sensibilité* et de l'interdiction d'être galant que ces quartiers imposent ? Ce qui rend dur et brutal, c'est la mauvaise réputation de la douceur, c'est une définition de la virilité qui implique le dédain et même le dégoût de celles qui « veulent bien », c'est, pour tout dire, la vigilance sans faille que la misogynie collective exerce sur le comportement de chaque individu. Dans le documentaire *La Cité du mâle*, tourné à Vitry sur les lieux où une adolescente, Sohane, a été aspergée d'essence et brûlée vive par celui qu'elle venait d'éconduire, on voit un jeune homme se moquer des « bouffons qui tiennent la main d'une meuf ». Là où cette dérision a force de loi, où la beauté physique témoigne d'une nature dépravée, où toute relation amoureuse est une menace pour l'intégrité masculine, la violence règne.

L'idée de *La Journée de la jupe* est venue à Jean-Paul Lilienfeld alors qu'il regardait les images des émeutes urbaines de novembre 2005. Il a été frappé alors par *ce qu'il ne voyait pas*. Aucune femme sur ces images, mais des hommes jeunes cagoulés et ultraviolents. Aucune banderole, aucune revendication, aucun slogan, pas le moindre mot d'ordre, mais le grand fracas silencieux des courses dans la nuit et des cocktails Molotov. Ce qui n'a pas empêché les experts du mouvement social de parler d'un « Mai 68 des quartiers populaires ». Aux barricades dressées par les étudiants et à l'occupation des locaux universitaires correspondaient, selon eux, ces affrontements de la nouvelle plèbe avec les policiers et les incendies ou le saccage des bâtiments qui symbolisaient les promesses non tenues de la République française. Souvenons-nous cependant : « Assez d'actes, des mots ! » On n'a pas pris la Bastille en 68, on a pris la parole (et on n'a pas dit, Dieu sait, que des choses intelligentes). Cette parole publique intarissable, souvent bête, quelquefois féroce et, ici ou là, lumineuse, il ne nous serait pas venu à l'idée de la réserver aux hommes : les femmes étaient présentes et actives dans les « manifs », dans les « amphis », sur les barricades. Bref, un Mai masculin est une contradiction dans les termes. Un lien ténu mais tenace nous rattachait même aux protocoles d'antan : « Jeunes femmes rouges toujours plus belles », lisait-on sur un mur du grand hall de la faculté de médecine. Nous persistions, autrement dit, à considérer les femmes comme l'agrément de la vie et jusque dans l'idiotie de nos graffitis, nous trouvions le moyen de le leur faire savoir. Nous avions beau nous être lancés à l'assaut des dernières hiérarchies du Vieux Monde, nous ne voulions pas plus sacrifier la différence des sexes à l'égalité que Saint-Just qui, tout éradicateur

qu'il fût, avait écrit cette phrase déconcertante :
« Chez les peuples vraiment libres, les femmes
sont libres et adorées. »

Dans ce qu'on appelle maintenant les
« cités », rien de tel : des rapports de domination, faisant d'une pierre deux coups, asser-
vissent les femmes et mutilent les hommes. Ce
n'est pas tant que le désir soit refoulé, c'est qu'il
ne puisse être accompagné d'estime pour celles
qui le suscitent et de tendresse pour celles qui
y cèdent.

Jean-Paul Lilienfeld cependant ne ferme pas
toutes les issues. S'il est vrai que la mort de l'enseignante donne à l'histoire une fin tragique,
dans les dernières images, un frêle espoir se fait
jour. Devant sa tombe, trois jeunes filles, jusque-
là toujours vêtues d'un jogging, sont venues
habillées en jupe. Un garçon était présent également, comme un signe de mixité possible. Dans
le même esprit, des femmes des « quartiers »
ont revendiqué haut et fort le droit à la féminité
en fondant, au début de ce siècle, l'association Ni putes ni soumises. Elles veulent pouvoir,
par leur vêtement, par leur maquillage, par leur
coquetterie, collaborer à la beauté du monde,
sans être aussitôt accusées de tenter le diable,
par les gardiens de la vertu, et de collaborer à
leur domination, par les tenants de la théorie du
genre. On est en droit de regretter avec Claude
Habib qu'elles aient choisi une appellation si

peu galante, mais cette réserve n'est rien en regard de l'admiration qu'inspire leur courage. Car la victoire est loin d'être acquise comme le montre l'expérience vécue par Élisabeth Badinter dans un établissement scolaire du nord de Paris, le collège Françoise-Dolto. Elle s'y trouvait pour engager le dialogue avec des élèves après la projection du film de Lilienfeld. Quelques collégiennes seulement étaient en jupe. Élisabeth Badinter a demandé aux autres pourquoi elles n'en faisaient pas autant. Réponse de l'une d'entre elles : « Les Français peuvent, pas les Arabes. » Un garçon a renchéri : « Chez nous, on met le voile, pas la jupe. »

Ce que veut dire ce « chez nous », c'est, si l'on en croit Ayaan Hirsi Ali, la femme politique néerlandaise d'origine somalienne aujourd'hui réfugiée aux États-Unis, qu'« en matière de sexe, les hommes sont perçus dans la culture musulmane comme des animaux irresponsables qui perdent tout contrôle lorsqu'ils voient une femme ». Faute de pouvoir les adoucir, il faut donc les refroidir et couvrir le corps féminin des pieds à la tête pour le mettre à l'abri de leur lubricité. On dit que le voile protège la pudeur, alors qu'il réduit pornographiquement les relations entre les sexes au désir, et le désir lui-même à une pulsion bête et violente. En cachant la chevelure que nul homme, hormis l'époux, ne saurait voir, ce bout de tissu signifie aux femmes que leur présence est obscène, que tout en elles et sur elles renvoie à leur anatomie et qu'elles constituent, de ce fait, un trouble potentiel à l'ordre public. Le contraire du panérotisme galant : un pansexualisme oppressant.

L'interdiction du port de signes religieux dans les écoles publiques a été prolongée par une loi prohibant la dissimulation du visage dans l'espace public. Ce n'était plus le foulard islamique qui était visé mais, du fait de leur augmentation constante, la burqa et le voile intégral. Avec quels arguments ? Devant la mission d'information parlementaire où elle a fait le récit de sa visite au collège Françoise-Dolto, Élisabeth Badinter a déclaré : « Le port du voile intégral est contraire au principe de fraternité [...] et, au-delà, au principe de civilité, du rapport à l'autre. Porter le voile intégral, c'est refuser d'entrer en contact avec autrui ou, plus exactement, refuser la réciprocité. La femme ainsi vêtue s'arroge le droit de me voir et me refuse le droit de la voir. » La fraternité comme la civilité sont des valeurs universelles, dont l'apparition remonte bien plus loin dans l'histoire que la Déclaration des droits de l'homme. Mais certains pays, et non des moindres, s'appuient précisément sur ces valeurs pour fustiger la loi française qui criminalise des choix vestimentaires et pour justifier les émeutes que provoque son application. Dans un éditorial sévère et même virulent intitulé « The Talibans Would Applaud », le *New York Times* invite le reste du monde à manifester sa révulsion devant cette violation des libertés individuelles motivée, qui plus est, par la très incivile recherche d'un bouc émissaire au problème du chômage en France.

Une question surgit alors : nos principes ne vaudraient-ils que pour nous ? Répondre oui, ce serait abandonner à leur sort les femmes qui, en terre d'Islam, dénoncent l'infériorité de leur statut contre la majorité de leurs concitoyens, comme lors des Printemps arabes. Ainsi procèdent les zélateurs de ces révolutions quand, pour ne pas en ternir l'image, ils jettent un voile sur les viols collectifs qui ont eu lieu lors de tous les grands rassemblements de la place Tahrir. Même dicté par les meilleures intentions, cet effacement est inexcusable car au fondement de la morale humaniste, il y a le fait qu'aucun opprimé ne nous est étranger : sous quelque ciel qu'il ou elle vive, son destin nous regarde. La révolte contre l'injustice transcende les frontières. Le lointain maltraité par la société ou par l'État devient notre prochain. La compassion comble la distance : nous nous mettons à sa place.

Et ce n'est pas qu'une question de sentiment. La démocratie moderne stipule, en effet, que nous avons tous, quel que soit notre lieu de naissance, un droit égal à la liberté. À la différence des nations de l'Orient qui « savaient qu'un seul était libre », les Grecs et les Romains qui « savaient que plusieurs sont libres », nous savons, nous, comme l'a montré Hegel, que « tous sont libres ». Il n'y a pas, pour nous, d'exception culturelle à cette égalité, il n'y a que le scandale politique de sa confiscation.

Il n'empêche : on ne fait pas la même expérience, on n'est pas confronté à la même réalité quand on voit des femmes revêtues du voile et *a fortiori* du voile intégral dans les rues de Kaboul, du Caire ou de Téhéran et quand on en croise dans les rues ou sur les marchés de nos villes.

Dans le premier cas, on ne se sent *pas* chez soi et on n'est effectivement pas chez soi. Démocrates mais dégrisés de nos entreprises impérialistes, revenus de nos prétentions à porter partout la bonne parole, nous avons pris acte de l'irréductible diversité des manières d'être et nous avons acquis la sagesse posthégélienne de la limite. Cette sagesse nous dit qu'à l'étranger notre sentiment d'étrangeté est la norme et nous met solennellement en garde contre toute guerre de civilisation.

Dans le second cas, on ne se sent *plus* chez soi et la même sagesse se refuse à voir le port du niqab ou de la burqa, qu'ils soient portés par contrainte ou arborés par conviction, transformer nos mœurs en option facultative. Aussi choisit-elle la voie de l'interdiction. Voie républicaine ? Pas seulement. L'État ne se contente pas de défendre des principes de fraternité, de laïcité ou d'égalité que d'ailleurs les partisans de l'autorisation ont retournés contre lui. Il défend un mode d'être, une forme de vie, un type de sociabilité, bref, risquons le mot, une *identité* commune.

Mais justement, le mot est risqué. Nous sommes payés pour savoir qu'on peut faire de l'identité le pire des usages. D'où cette question cruciale et redoutable : le pire ne nous menace-t-il pas à nouveau ? Jusqu'où est-il possible, jusqu'où est-il licite de revendiquer et de mettre en avant, pour penser le vivre-ensemble, le concept d'identité commune ?

Le vertige de la désidentification

C'est avec le romantisme que le thème de l'identité nationale apparaît pour la première fois sur la scène européenne. Les nations n'ont certes pas attendu ce moment pour s'affirmer, se distinguer et se livrer bataille. Elles plongent loin dans l'histoire du Vieux Continent. Elles sont, comme l'écrit François Furet, « l'œuvre des siècles et des rois ». Les siècles ont façonné leurs langues, et forgé leurs mœurs. Les rois leur ont donné un corps. Mais ce corps, cette langue, ces mœurs, ces frontières ne constituaient pas une identité ou, du moins, n'étaient pas encore vécus sur ce mode. Tant que le principe hiérarchique régissait le vivre-ensemble, les êtres se définissaient d'abord par leur extraction. La naissance prévalait sur la nation. L'ascendance était l'appartenance déterminante. Dans l'univers aristocratique, rappelle Tocqueville, on ne voyait de semblables que dans les membres de sa caste. Et l'on ne faisait pas d'exception pour ses compatriotes. Sujets du même monarque, le noble et le vilain n'en restaient pas moins séparés par un fossé quasi infranchissable. Mme du Châtelet, muse de Voltaire et traductrice de Newton, se déshabillait sans le moindre embarras devant ses gens, « ne tenant pas bien établi, écrit Tocqueville, que les valets fussent des hommes ». Pour que surgisse en pleine lumière l'ancrage de tous dans un même passé et qu'advienne quelque chose comme une identité commune, il a fallu que se produise, sous l'effet du rapprochement des conditions, cet événement culturel majeur : la généralisation du sentiment du semblable. L'identité nationale est donc fille de l'égalité. Et elle est, en même temps, la réponse du romantisme politique à l'égalité telle que l'a conçue la philosophie des Lumières et telle que la Révolution a voulu la mettre en œuvre.

Tous les hommes sont égaux, cela veut dire pour les Lumières que tous les hommes *sans distinction* ont un droit égal à la liberté ou, plus précisément, à l'*autonomie,* car ils ont tous, en tant qu'hommes, la capacité de penser, de juger et d'agir par eux-mêmes. Encore faut-il que cette capacité se réalise et qu'ils sortent de « la condition de minorité où ils se trouvent par leur propre faute ». Telle est précisément la tâche que se sont assignée les acteurs de la Révolution. Reprenant à leur compte la devise des Lumières : « *Sapere aude !* Aie le courage de te servir de ton propre entendement ! », ils se sont déclarés majeurs à la face du monde et de leurs ancêtres. Ils ont voulu reconstruire la société humaine sur le fondement de la raison. Du passé dont ils sont eux-mêmes issus, ils ont décidé de s'émanciper en le rejetant d'un seul coup dans les ténèbres de l'Ancien Régime. « Notre histoire n'est pas notre code », lançait fièrement Rabaud-Saint-Étienne. Ce qui, traduit en langage philosophique, veut dire : nous ne sommes plus des sujets au sens de créatures soumises, mais des sujets au sens donné à ce mot par le *cogito* cartésien. Et il ajoutait : « Tous les établissements en France couronnent le malheur du peuple. Pour le rendre heureux, il faut le renouveler, changer ses idées, changer ses lois, changer ses mœurs, changer les hommes, changer les choses, changer les mots… Tout détruire ; oui, tout détruire puisque tout est à recréer. » Dieu, autrement dit, n'est plus l'auteur des choses. La création relève de l'homme. Pour régler les destinées du monde, il n'y a qu'à vouloir. « Dites que la lumière soit et la lumière sera ! » s'enthousiasme Boissy d'Anglas.

Ils ont dit : « Que la lumière soit ! » et la Terreur fut, observent, avec effroi, certains contemporains de l'événement. Ils ont voulu la transparence et ils ont eu la défiance généralisée ; ils ont voulu le bonheur du peuple et ils ont eu la loi des suspects ; ils ont voulu l'égalité dans la liberté et ils ont eu le despotisme. Pourquoi les choses ont-elles mal tourné ? Le romantisme politique est né de cette question et la tentative d'offrir, en guise de réponse, une alternative au subjectivisme débridé des Lumières. La violence révolutionnaire, dit, par exemple, Edmund Burke dans ses *Réflexions sur la Révolution de France*, n'est pas un accident de l'histoire mais un pur produit de la présomption. Elle n'a pas été imposée par les circonstances, elle est née d'une *hubris* de la raison : « Les esprits éclairés, qui ont cru bon de rompre le cours des choses n'ont aucun respect pour la sagesse des autres, mais en compensation ils font à la leur une confiance sans bornes. Il leur suffit d'un seul motif pour détruire un ordre des choses ancien, son ancienneté même. » Ils se font gloire, ces esprits éclairés, de secouer les vieux préjugés alors que ceux-ci sont « la banque générale et [le] capital constitué des nations et des siècles, et qu'il vaudrait bien mieux employer sa saga-cité à découvrir la sagesse cachée qu'ils renfer-ment », mais ils négligent, dans leur combat pour les Lumières, les lumières de la coutume. Ils croient libérer leur intellect d'un tas de vieil-leries alors qu'ils se privent d'un trésor d'intel-ligence. Ils se comportent en démiurges alors qu'ils devraient « se pencher sur les défauts de l'État comme sur les blessures d'un père, dans la crainte et le tremblement, avec une pieuse sollicitude ». Ils s'enivrent de tout changer alors que, « si la simple sagesse nous recommande la plus grande circonspection lorsque nous travaillons sur les matières inanimées, la prudence devient véritablement un devoir quand nos travaux de démolition n'ont pas pour objet la brique et le bois mais des êtres sensibles ». Ils prétendent arracher les hommes à leur condition de minorité, mais, répondent Burke et les romantiques, ce qui fait l'humanité de ces êtres sensibles, ce n'est pas l'autosuffisance, ce n'est pas la capacité de s'abstraire de toute tradition, c'est l'appartenance, la fidélité, la *filialité*, l'inscription dans une communauté particulière. L'homme, en d'autres termes, n'est pas maître du sens. Le sens passe à travers lui. Sa subjectivité est seconde. Il est issu d'une source qui le précède et le transcende. Il vient après, il suit, donc il pense. Bref, il naît avec une dette qu'il est tenu d'honorer. Annuler cette dette, repartir de zéro pour édifier une société nouvelle avec des individus autonomes, c'est-à-dire réduits à eux-mêmes, cela ne peut conduire qu'à la catastrophe. Si l'on veut rester humain, on doit faire preuve d'*humilité*, et ne jamais perdre de vue qu'*il n'y a pas que soi en soi* : telle est, pour finir, l'objection identitaire adressée par le romantisme politique aux « petits-maîtres insolents, présomptueux et bornés de la philosophie ». Cette objection va se durcir dans la seconde moitié du XIXe siècle.

À l'ambition affichée par la Révolution française d'établir les droits naturels de l'homme, Burke, qui est un libéral, oppose la volonté affichée par la révolution anglaise de garantir les droits *hérités* des Anglais. Joseph de Maistre, au même moment, s'exclame : « Il n'y a point d'homme dans le monde. J'ai vu, dans ma vie, des Français, des Italiens, des Russes, etc. ; je sais même, grâce à Montesquieu, qu'on peut être persan : mais quant à l'homme, je déclare ne l'avoir rencontré de ma vie ; s'il existe, c'est bien à mon insu. » Et Maurice Barrès, quelque cent ans plus tard : « C'est toujours l'histoire des droits de l'homme. Quel homme ? Où habite-il ? Quand vit-il ? » Pour l'écrivain nationaliste comme pour les penseurs romantiques, l'humanité s'écrit au pluriel, elle n'est rien d'autre qu'une addition d'identités collectives, elle s'atteste dans la multiplicité des manières de percevoir, de désirer et de ressentir qu'on appellera plus tard *cultures* et qui se développent sur des territoires distincts. Il n'y a donc pas de règle applicable à tous les hommes. L'universel est un leurre et l'abstraction rationnelle, une dangereuse ivresse de l'esprit. Tout comme ses prédécesseurs, Barrès accorde à l'histoire et à la géographie une importance décisive. Nous ne sommes pas des anges, dit-il, nous sommes des êtres situés ou, pour mieux dire, *incarnés.* Mais Barrès va plus loin qu'Edmund Burke et Joseph de Maistre. Sa critique des Lumières ne laisse aucune marge d'indétermination. Elle ne rabaisse pas seulement la subjectivité, elle l'anéantit : « L'individu s'abîme pour se retrouver dans la famille, dans la race, dans la nation. » Les Lumières : l'individu *s'affirme,* la nation est un contrat, « un plébiscite de tous les jours », dira Renan. Barrès : l'individu *s'abîme,* la nation est une communauté organique qui engendre et qui façonne ses enfants. Les Lumières : l'individu se libère par la raison de ses conditionnements et manifeste ainsi sa qualité d'homme. Barrès : la raison n'est pas une, ne peuvent partager la même mentalité que des hommes unis par les liens du sang : « Nous ne sommes pas les maîtres des pensées qui naissent en nous. Elles sont des façons de réagir où se traduisent de très anciennes dispositions physiologiques. Selon le milieu où nous sommes plongés, nous élaborons des jugements et des raisonnements. » Les Lumières, avec Thomas Paine, défendent « les droits des vivants » et s'efforcent d'empêcher qu'ils ne soient aliénés ou diminués par l'autorité usurpée des morts. Barrès dit à l'inverse : « Je défends mon cimetière. J'ai abandonné toutes mes autres positions. » Mon cimetière, c'est-à-dire la longue lignée dont je suis le produit : « Toute la suite des descendants ne fait qu'un seul et même être. » Le sentiment romantique d'appartenance est ainsi *racialisé* et Barrès, revenu de ses rêveries lointaines, de ses bouffées d'ailleurs, avoue l'« immense plaisir » qu'il éprouve à se sentir commandé par son hérédité, captif de son origine.

L'autre face de ce plaisir est le dégoût physique et métaphysique que lui inspire le capitaine Dreyfus, cet être sans attaches, « très différent de nous, imperméable à toutes les excitations dont nous affectent notre terre, nos ancêtres, notre drapeau, le mot "honneur" ». Du début à la fin de l'Affaire, Barrès n'en démord pas : Dreyfus a trahi parce que, étranger sur la Terre, il a la trahison dans le sang. Son crime se déduit de sa race. Juif, il est Judas, il conspire par nature contre l'identité nationale.

En 1917, Barrès, voyant tant de Juifs mourir pour la patrie, finit par les accueillir au sein des « familles spirituelles de la France ». Mais peu importe dorénavant Barrès. Un an après son revirement, l'armistice est signé et l'Allemagne humiliée se lance dans la recherche fiévreuse des responsables de sa défaite. Qui a provoqué la catastrophe de novembre ? Qui en profite ? Pour le caporal Hitler, aucun doute n'est permis : « Un jour, tout à coup, le malheur surgit, écrit-il dans *Mein Kampf.* Des marins arrivèrent en camions et appelèrent à la révolution, quelques jeunes Juifs étaient leurs chefs. Aucun d'entre eux n'avait combattu sur le front... Il s'ensuivit des journées effroyables et des nuits pires encore... Dans ces nuits monta en moi la haine, la haine contre les auteurs de cet événement... Avec le Juif, il n'y a point à pactiser. Mais seulement à décider : tout ou rien ! C'est alors que je pris conscience de mon destin véritable. Je décidai de faire de la politique. » Faire de la politique, autrement dit, c'était s'engager dans une guerre sans merci contre l'ennemi mortel de la race aryenne. Et cette guerre d'extermination, Hitler l'a conduite jusqu'à la dernière seconde, alors même qu'il perdait toutes les autres. Il ne s'est jamais laissé détourner de son objectif initial. Ainsi, entre 1939 et 1945, tous les Juifs de tous les pays, de tous les âges, de toutes les conditions ont-ils vu progressivement leurs destins se confondre. Comme le dit admirablement Marcel Cohen : « Aucune des particularités qui font qu'un homme est différent d'un autre homme n'a plus eu la moindre prise sur leur vie. »

D'autres génocides ont été perpétrés dans l'histoire. Le mot est récent mais la persécution et la décimation des communautés humaines est une pratique immémoriale et qui n'a pas disparu : les charniers du Cambodge ou du Rwanda en témoignent. Il serait bien imprudent de déclarer que la liste est close. Les Juifs cependant ont été poursuivis jusqu'à Shanghai. Contre

la juiverie mondiale, l'entreprise d'anéantisse-
ment s'est voulue elle-même planétaire. C'est
cela, comme l'a montré Hannah Arendt, qui
est unique : jamais personne, avant les nazis,
ne s'était arrogé le droit de décider qui doit et
qui ne doit pas habiter la Terre. Et il a fallu la
rigueur et l'instruction, le sens du devoir et le
goût du travail bien fait de l'un des peuples les
plus évolués du Vieux Continent pour surmonter les obstacles à la mise en œuvre de cette
décision radicale. La civilisation, alors, a fait
cause commune avec la barbarie, la machine
industrielle a pris en charge le crime, la froideur de la raison et la frénésie identitaire ont
bâti ensemble les usines de la mort. Ce scénario
inouï réfute toutes les philosophies de l'histoire.
Ces combinaisons brouillent les repères et font
vaciller les certitudes les mieux établies. Cette
violence qui a mobilisé les inventions les plus
modernes, tout en puisant largement dans la
critique romantique de la modernité, laisse la
pensée désemparée et pantelante. On voudrait
ne pas y croire, mais voilà c'est arrivé et c'est à
la fois ineffaçable et inassimilable. Parce qu'il ne
se laisse pas saisir par le concept, l'événement
échappe aussi à l'oubli. L'énigme demeurant
irrésolue et tant de valeurs se trouvant compro-
mises, il ne repose pas sous la pierre tombale
du passé : il nous regarde, il nous poursuit, il
nous hante. Non seulement nous cherchons à

en savoir toujours davantage, mais nous nous efforçons de mettre entre le monde où Auschwitz a eu lieu et le nôtre la plus grande distance possible et nous ne sommes pas près de trouver la paix de l'âme. Au contraire. Comme le dit si justement Vladimir Jankélévitch, « le temps qui émousse toutes choses, le temps qui travaille à l'usure du chagrin comme il travaille à l'érosion des montagnes, le temps qui favorise le pardon et l'oubli […] n'atténue en rien la colossale hécatombe : au contraire, il ne cesse d'en aviver l'horreur ». Ce qui veut dire qu'avec le temps, dans ce cas précis, tout ne rentre pas dans l'ordre. C'est même l'inverse : le temps brise la continuité historique et nous introduit, peu à peu, dans l'ère posthitlérienne.

À la question : « Qu'est-ce qui fait l'européanité de l'Europe ? », le sociologue allemand Ulrich Beck répond aujourd'hui : le cosmopolitisme. Autrement dit, le propre de l'Europe est de ne pas avoir de propre. Elle ne se reconnaît pas dans l'histoire dont elle est issue, son origine n'a rien à voir avec sa destination, sa destination consiste à se démettre de son origine, à rompre avec elle-même. Conçue comme l'antithèse de l'Europe qui a enfanté la catastrophe, elle doit veiller à remplacer l'intériorité par les procédures. Car qui dit « intérieur », dit aussitôt « extérieur ». Qui dit « nous », dit « eux ». Qui cultive la chaleur du dedans institue par là même un dehors inquiétant et hostile. Le souvenir d'Auschwitz nous ordonne de ne pas mettre le doigt dans cet engrenage. L'ombre de l'extermination plane sur toute discrimination et d'abord sur la plus fondamentale : celle qui croit pouvoir séparer le Même et l'Autre : « Si nous voulons exhumer la conscience originelle du cosmopolitisme au fondement du projet européen, écrit Ulrich Beck, la mémoire collective de l'Holocauste en constitue l'archive la plus évidente. »

Ce n'est pas la première fois que l'Europe critique l'Europe : préalablement à toute *construction* européenne, le rapport critique à soi est constitutif de la *civilisation* européenne. Et bien avant que Rabaut-Saint-Étienne ne s'écrie : « Notre histoire n'est pas notre code », les Grecs ont fondé la philosophie en distinguant ce qui est bien de ce qui est ancestral. L'Europe est née avec le *logos,* c'est-à-dire quand la question « Qu'est-ce que… ? » — « Qu'est-ce que le courage ? », « Qu'est-ce que la piété ? », « Qu'est-ce que le bien ? » — s'est substituée à l'autorité de la coutume. D'où le reproche que l'on est en droit d'adresser aux romantiques : tout à leur défense des vertus de la tradition contre le vertige de la rupture, ils ont oublié la grande tradition européenne de l'antitradition, c'est-à-dire de la vie examinée. Comme l'écrit Leszek Kolakowski : « Nous affirmons notre appartenance à la culture européenne précisément par notre capacité de garder une distance critique envers nous-mêmes, de vouloir nous regarder par les yeux des autres, d'estimer la tolérance dans la vie publique, le scepticisme dans le travail intellectuel, la nécessité de confronter toutes les raisons possibles aussi bien dans les procédures du droit que dans la science, bref de laisser ouvert le champ de l'incertitude. »

Mais la critique actuelle se démarque de cette tradition critique en ceci qu'elle ne veut pas entendre parler d'appartenance. Appartenir, dit-elle, c'est trier. L'affiliation conduit à l'exclusion. Ainsi ceux qui mettent en avant la différence de civilisation pour s'opposer à l'entrée de la Turquie dans l'Union européenne se voient répondre par Ulrich Beck et les tenants du cosmopolitisme que l'Europe n'est pas un « club chrétien ». Elle n'est pas davantage un club déchristianisé. Elle n'est pas un club. Elle n'est pas une communauté d'ascendance. Elle n'est pas même une identité postnationale. Elle est l'entrée des Européens dans l'âge post-identitaire. L'Europe a choisi de se déprendre d'elle-même, de se quitter pour sortir, une fois pour toutes, des ornières de sa sanglante histoire. Bref, il est d'autant moins pertinent de se demander si la Turquie fait partie de l'Europe que *l'Europe elle-même ne fait plus partie de l'Europe.*

Elle ne se laisse pas circonscrire dans l'espace qui porte son nom. Ce qui fait de l'Europe l'Europe, disent aujourd'hui les porte-parole vigilants de la conscience européenne, c'est l'arrachement, le déracinement et, pour finir, la substitution des droits de l'homme à toutes les mystiques du sang et du sol. Ils accusent donc la France d'avoir succombé, une nouvelle fois, aux sirènes de l'appartenance en interdisant le voile islamique à l'école : « Je suis déterminé, affirmait ainsi Ken Livingstone, à protéger les musulmans de Londres contre de telles restrictions qui sont un pas vers une forme d'intolérance religieuse que l'Europe, témoin de l'Holocauste, avait juré de ne pas répéter. [...] Les Français auraient-ils oublié ce qu'il advint en 1940 quand on commença à stigmatiser les Juifs ? »

Ne plus construire un collectif sur la destitution et la persécution d'un autre : telle est donc la grande promesse de l'Europe posthitlérienne. Aussi, quand il s'agit d'illustrer les billets de la monnaie unique, le choix se porte-t-il, comme l'a noté Régis Debray, sur des images de synthèse représentant des ponts. Des ponts et non des symboles nationaux. Des ponts et non des portraits, des bâtiments ou des paysages. Des ponts pour conjurer les maléfices de l'autochtonie. Des ponts pour fuir les déterminations. Des ponts pour remplacer les murs. Des ponts pour mettre fin au règne funeste de la frontière. Des

ponts pour dire que l'Europe n'est pas un *lieu*
mais un *lien*, un passage, une passerelle et que,
loin d'incarner une civilisation particulière, elle
s'élève au-dessus de tous les particularismes.

Il y a donc les démons de l'identité. Mais il
y a aussi les démons de l'universel. Une autre
vigilance incombe aux Européens, car un autre
épisode hante leur mémoire endolorie : la
colonisation. En 1789, à Iéna, dans une conférence intitulée *Qu'est-ce que l'histoire universelle
et pourquoi l'étudie-t-on ?*, Schiller posait, comme
une évidence, que « les peuples découverts par
les navigateurs sont comme des enfants de différents âges entourant un adulte ». De cette
identification glorieuse à l'humanité *développée*,
l'Occident déduisit un siècle plus tard qu'il
avait une mission éducative à remplir envers
les peuples immatures. Mission assumée en
France par Jules Ferry et encore justifiée par
Léon Blum dans un langage tout schillérien :
« Nous admettons le droit et même le devoir
de ce qu'on appelle les races supérieures d'atti-
rer à elles celles qui ne sont pas parvenues au
même degré de culture et de les appeler aux
progrès réalisés grâce aux efforts de la science
et de l'industrie. »
Après la victoire sur Hitler, c'est-à-dire sur la
doctrine de l'inégalité des races, ceux que Frantz

Fanon a appelé les « damnés de la terre » ont porté un coup mortel à cette bonne conscience. « Votre développement ne fait pas de vous l'avant-garde de l'humanité. Il a servi vos visées prédatrices. Vous avez régné sur le monde. Mais ce règne se termine » : voilà ce qu'ils ont fait savoir, les armes à la main, aux missionnaires de la colonisation. Ce message a été entendu. L'Europe postcoloniale est une Europe dégrisée et qui a juré de ne jamais retoucher à la bouteille. Aussi fait-elle en sorte qu'il ne reste plus une goutte d'alcool universaliste dans son cosmopolitisme actuel. Le temps est venu pour l'Europe de n'être ni juive, ni grecque, ni romaine, ni moderne, ni *rien.* « Il n'y a pas d'être européen », disait déjà Julien Benda en 1933. Mais cette affirmation est encore trop glorieuse car elle prétend définir par la rupture avec l'ordre charnel la *supériorité* de l'esprit européen. Deux penseurs contemporains infléchissent donc l'idéalisme de Benda dans le sens de l'abnégation : le sociologue allemand Ulrich Beck en disant que sa « vacuité substantielle » voue l'Europe à une « ouverture radicale » ; le philosophe français Jean-Marc Ferry en définissant l'identité européenne comme la « disposition à s'ouvrir à d'autres identités ». Tout le contraire d'une identité close repliée sur son héritage mais aussi d'une identité conquérante imbue de ses vertus civilisatrices. Pas plus donc un modèle à propager qu'un fonds spirituel ou qu'un patrimoine à protéger. L'exclusivisme et l'hégémonisme apparaissent, toute honte bue, comme les deux grandes pathologies de l'Europe, comme les deux manières qu'elle a eues de s'oublier dans ce qu'elle croyait être. Pour se racheter une conduite, nous dit cette fois le philosophe italien Gianni Vattimo, il lui faut abdiquer toute image de soi, et passer « de l'universalisme à l'hospitalité ». Et c'est tout naturellement par le dialogue interreligieux que Vattimo illustre cet idéal rédempteur : « Le christianisme se libère de sa complicité avec les idéaux impérialistes de la modernité chrétienne à la suite d'une dure expérience historique, celle de la révolte des peuples des anciennes colonies qui s'insurgent aussi contre leurs dominateurs "chrétiens" au nom d'une interprétation plus authentique du message évangélique. » Dans ce nouveau moment, l'identité du chrétien doit se concrétiser sous la forme de l'hospitalité, c'est-à-dire, selon Vattimo, « se réduire presque totalement à prêter l'oreille à ses hôtes et à leur laisser la parole ».

En 2005, comme si de rien n'était, des parlementaires français ont cru pouvoir exiger par voie législative que des programmes scolaires soulignent le rôle positif de la présence française outre-mer, notamment en Afrique du Nord. Cette initiative a fait long feu. La réaction du monde enseignant fut si hostile qu'à peine voté l'article de loi a été abrogé. Car la France est à l'image de l'Europe et l'Europe a cessé de croire en sa vocation passée, présente ou future à guider l'humanité vers l'accomplissement de son essence. Il ne s'agit plus pour elle de *convertir* qui que ce soit — conversion religieuse ou résorption de la diversité des cultures dans la catholicité des Lumières —, mais de *reconnaître* l'autre à travers la reconnaissance des torts qu'elle a commis à son endroit. Il lui incombe plus généralement d'accueillir ce qui n'est pas elle en cessant de s'identifier à ce qu'elle est. Ses clercs, au sortir du XXe siècle, ne prennent pas le parti de l'*Aufklärung* contre le romantisme, ils préconisent ce remède de cheval contre toutes les *hubris* : le *romantisme pour autrui*. Si l'Europe doit se dénationaliser et renoncer, dans la foulée, à tout prédicat identitaire, c'est pour que puissent se déployer librement les identités que son histoire a mises à mal. Et, ajoute Alain Badiou, cette oblation est sa délivrance ; cette apostasie, sa sortie des ténèbres : « Que les étrangers nous apprennent au moins à devenir étrangers à nous-mêmes, à nous projeter hors de nous-mêmes, assez pour ne plus être captifs de cette longue histoire occidentale et blanche qui s'achève, et dont nous n'avons plus rien à attendre que la stérilité et la mort. Contre cette attente catastrophiste, sécuritaire et nihiliste, saluons l'étrangeté du matin. » Pour que le jour se lève enfin, il faut donc cesser de considérer l'immigration de peuplement comme une menace, un défi ou un problème, mais voir en elle la chance d'une rédemption et supprimer toutes les lois qui la contraignent. La France, l'Europe, l'Occident ont beaucoup péché en voulant mettre l'Autre à la raison : l'occasion leur est maintenant offerte d'être purifiés par l'Autre d'eux-mêmes et de leur passé coupable. Robinson, suggère ici Badiou, n'est plus maître du monde ni même souverain en son royaume. Il n'est plus condamné à la domination : Vendredi le destitue et, ce faisant, le sauve.

Aux pensées et aux passions xénophobes, Badiou, comme Vattimo, oppose l'exercice de ce que le philosophe anglais Roger Scruton appelle l'*oikophobie* : la haine de la maison natale, et la volonté de se défaire de tout le mobilier qu'elle a accumulé au cours des siècles. Et ce rejet n'est pas une lubie de philosophe. La bureaucratie fait chorus. Les gardiens de la maison eux-mêmes sont *oikophobes*. En 2011, un agenda a été distribué dans les établissements scolaires de l'Union européenne : toutes les fêtes religieuses y figuraient, à la remarquable exception des fêtes chrétiennes. Cette absence a fait scandale. Ses responsables se sont aussitôt engagés à réparer l'oubli. Mais le jour se rapproche où, pour n'offenser personne, les fêtes de Noël deviendront, dans le discours officiel, « les fêtes de fin d'année » ou, plus poétiquement, « les fêtes d'entrée dans l'hiver ».

Les élites de l'Europe posthitlérienne et postcoloniale réservent donc un accueil contrasté à la notion d'identité. Le débat sur l'identité nationale lancé en novembre 2009 par le gouvernement français a provoqué la fureur du monde intellectuel. Et ce malgré les précautions idéologiques des autorités, malgré leur reddition sans conditions à la *doxa* du jour. « La France n'est ni un peuple, ni une langue, ni un territoire, ni une religion, c'est un conglomérat de peuples qui veulent vivre ensemble. Il n'y a pas de Français de souche, il n'y a qu'une France de métissage », a déclaré, le 5 janvier 2010, Éric Besson, ministre de l'Immigration, de l'Intégration, de l'Identité nationale et du Développement solidaire. S'exprimant à La Courneuve, une ville où la proportion de jeunes d'origine africaine et maghrébine dépasse 60 % et soucieuse, qui plus est, d'atténuer l'impact désastreux d'une création gouvernementale calquée sur le modèle orwellien du ministère de l'Amour, il prenait le contre-pied exact de la définition énoncée naguère par le général de Gaulle : « Nous sommes quand même avant tout un peuple européen de race blanche, de culture grecque et latine et de religion chrétienne. » Ce désaveu implicite mais catégorique de celui qui demeure la référence suprême de la droite au pouvoir et qui justifiait ainsi la séparation de l'Algérie et de la France, n'a pas été retenu en faveur du malheureux ministre. Car l'identité nationale même soigneusement évidée, même épurée de toutes ses qualités distinctives et composée d'un catalogue de négations, c'était encore trop. Le mot lui-même, ce mot rance, ce mot moisi, ce mot fatal, n'avait pas disparu. Quarante mille citoyens indignés ont donc signé une pétition — *Nous ne débattrons pas* — accompagnée d'un article solennel où on pouvait lire : « Pour la première fois depuis 1944-1945 s'énonce au sommet de la République l'idéologie de la droite extrême, celle qui fut au pouvoir avec Philippe Pétain sous Vichy, cette droite à la fois maurrassienne, orléaniste et élitiste qui n'avait jamais admis la démocratie libérale et qui vécut sa divine surprise. » L'accusation était énorme, mais elle a payé. Confronté à la colère des *oikophobes*, le gouvernement a dû céder et remballer, penaud, son grand débat trois mois à peine après un lancement en fanfare.

Le vent de la révolte s'est aussi levé contre la décision de créer une Maison de l'Histoire de France, en dépit des précisions rassurantes apportées en 2011 par le ministre de la Culture : il s'agit d'une maison « qui aura pour ambition de rendre toutes les facettes de notre histoire accessibles : ses ombres et ses lumières, ses grands noms et ses inconnus, ses passages obligés comme ses chemins de traverse. Elle sera un lieu où le passé vit au contact de la modernité, ouvert aux débats, aux invitations, aux rencontres ». *Ouvert* est le mot-clé, mais ce mot n'a pas suffi. Soutenu par un grand nombre de ses collègues, l'historien Vincent Duclert, auteur d'une magistrale biographie d'Alfred Dreyfus, a répondu au ministre : « Ce n'est pas d'une "Maison de l'Histoire *de* France" dont ce pays a besoin mais d'un "musée de l'histoire *en* France". » Tout change, en effet, avec ce passage à la minuscule et ce changement de préposition. La France n'occupe plus le tableau. Elle devient le cadre. Elle n'est plus un singulier collectif, le substrat d'une aventure ou d'un destin, mais un réceptacle d'histoires multiples. Neutraliser l'identité domestique, cette chimère assassine, au profit des identités diasporiques et minoritaires ; faire la place, en désinfatuant la nation d'elle-même, à toutes les appartenances et à toutes les orientations (religieuses, ethniques, régionales, sexuelles) marquées du sceau de la différence : telle est la voie qui s'impose si l'on veut promouvoir la diversité et remplir ainsi ce qui est, pour le philosophe Alain Renaut comme pour Vincent Duclert, l'« ardente obligation » des sociétés démocratiques contemporaines.

La France ayant connu l'alternance, cette objection a été entendue. Pour bien montrer que nous étions entrés dans une ère nouvelle et que l'on respirait mieux, le gouvernement a choisi d'abandonner un projet pollué, dès l'origine, par le thème de l'identité nationale. Il ne s'est pas embarrassé de subtilités grammaticales, ni *en*, ni *de* : « Exit la Maison de l'Histoire de France », a titré, avec une satisfaction non dissimulée, le journal *Le Monde*.

La rupture avec Barrès est donc totale. On ne lit plus sans malaise l'éloge du platane qu'il fait prononcer à Taine dans *Les Déracinés* : « Cet arbre est l'image expressive d'une belle existence. Il ignore l'immobilité. Sa jeune force créatrice dès le début lui fixait sa destinée et sans cesse elle se meut en lui. […] En éthique, surtout je le tiens pour mon maître […]. Cette masse puissante de verdure obéit à une raison secrète, à la plus sublime philosophie, qui est l'acceptation des nécessités de la vie. » À cette douteuse leçon de choses et d'hommes, notre temps oppose le constat fait par l'historien Lucien Febvre dans un livre enfoui pendant soixante ans et qui paraît aujourd'hui, à son heure, sous le titre *Nous sommes des sang-mêlés. Manuel d'histoire de la civilisation française* : « Les platanes, il n'y en avait pas en France avant le XVIe siècle. À Rome même, en 1534, Rabelais, si curieux de toutes les nouveautés, n'en put découvrir qu'un seul, fraîchement importé d'Asie Mineure : *Unicam platanum vidi.* » Tard venus sont aussi le cèdre, l'acacia, l'eucalyptus, le marronnier d'Inde : « Ce bel arbre n'est pas naturalisé français depuis trois siècles. » En bref, conclut Lucien Febvre : « Tout potager en France est une sorte de jardin d'acclimatation en miniature. Il n'y manque que des étiquettes. Elles diraient plus de cinq fois sur dix : "Plante étrangère, originaire d'Asie, ou d'Afrique, ou d'Amérique. Implantée au temps des Croisades, ou plus souvent encore : importée d'Amérique après la découverte." » Il y a donc bien une leçon à tirer de l'arbre, mais ce n'est pas que de l'identité nationale s'enracine dans les profondeurs de la terre et se développe comme un organisme végétal, c'est que — « emprunts partout, emprunts toujours » — ce qui nous constitue nous vient d'ailleurs. Pour éradiquer le virus du nationalisme, le grand historien ne nous invite pas seulement à devenir étrangers à nous-mêmes, il veut nous montrer, beaux paysages français à l'appui, que nous l'avons toujours été. Et l'archéologie contemporaine parachève la démonstration. Si l'on en croit Jean-Paul Demoule, professeur de protohistoire européenne : « Il faut arrêter de penser qu'il y aurait une "France éternelle", à l'identité immobile, que l'arrivée récente de populations extérieures viendrait bousculer. Sur le temps long, on voit les choses autrement, l'histoire est un lent continuum de brassages, elle est une recomposition permanente. » Les historiens et les protohistoriens nous intiment donc de ne pas nous fier à nos sens mais à leur science. Nous découvrons, en prenant le recul nécessaire, que ce qui arrive n'arrive pas et que ce qui nous apparaît comme un événement considérable est un phénomène immémorial. Nous apprenons que ce n'est pas la France qui vient du fond des âges, comme le voulait, après Péguy, le général de Gaulle, mais le brassage de populations. Conclusion : le changement démographique n'affecte pas l'identité de la nation, car celle-ci n'a d'autre identité que ce changement perpétuel. Ainsi s'achève la grande leçon d'altérité : après nous être inclinés devant *l'autre que nous-mêmes*, nous voici conduits à découvrir *l'autre que nous sommes*. Après avoir passé le test de l'*oikophobie*, nous sommes, dans un deuxième temps, conviés à nous réconcilier avec un héritage métissé de part en part.

En 2009, je me suis rendu dans l'école primaire de la rue des Récollets, à Paris, où j'ai été élève. Dans le hall, accrochée au mur, une grande carte du monde avec de nombreuses photographies d'enfants épinglées pour la plupart sur les pays du continent africain. Au bas de la carte, cette légende : « Je suis fier de venir de… » J'ai pu alors mesurer le changement. Mes parents sont nés l'un et l'autre en Pologne, ils se sont rencontrés après la guerre en France — où mon père avait émigré dans les années trente avant d'être déporté — et nous avons bénéficié d'une naturalisation collective lorsque j'avais un an. Jamais l'école ne m'a fait honte de mes origines. Jamais elle ne m'a demandé de renier ma généalogie. Jamais non plus elle ne m'a invité à m'en prévaloir. Elle me demandait d'être attentif, d'apprendre mes leçons, de faire mes devoirs, et elle me classait selon mon mérite. L'origine était hors sujet. Les fils d'immigrés polonais, les fils de famille et les enfants du peuple n'étaient pas également représentés dans l'enceinte scolaire. Ils n'avaient pas non plus le même bagage culturel. Les fils de famille, par définition, étaient mieux lotis. Ils fréquentaient, plus tôt et plus assidûment que les autres, théâtres et musées. Outre cette pratique des loisirs, tout autour d'eux — livres et parents — enrichissait leur vocabulaire. Mais la République logeait les héritiers, les boursiers et les Français de fraîche date à la même enseigne. Initiés ou profanes, nous avions la France en partage. Et ce n'était pas qu'une question de passeport : dans quelque milieu que nous ayons grandi, la langue, la littérature, la géographie et l'histoire françaises devenaient nôtres à l'école et par l'école. « La République une et indivisible, c'est notre royaume de France. » Indifférent aux destins et aux cultures minoritaires, cet enseignement n'était pas, pour autant, chauvin. Nos instituteurs et nos professeurs ne nous montaient pas la tête. Ils ne chantaient la louange ni de l'universalité de la France ni de la singularité du génie français. Ils ne chantaient pas. Ils parlaient et en prose. L'empire se disloquait, la collaboration avait déshonoré la droite nationale : le temps n'était plus, malgré de Gaulle, au lyrisme mobilisateur. Il n'était pas encore à la « vacuité substantielle ». La repentance depuis lors a pris son envol : elle a mis le concept de Français de souche au pilori et la « fierté de venir de... » au pinacle. L'enracinement des uns est tenu pour suspect et leur orgueil généalogique pour « nauséabond », tandis que les autres sont invités à célébrer leur provenance et à cultiver leur altérité. Ici on dénonce tout à la fois un privilège exorbitant et un fantasme mortifère ; là on encourage ardemment le sens de la continuité et de la fidélité à ses racines. Ce qui distingue le dedans du dehors est *déconstruit*

(« Je est un autre », l'arbre de M. Taine lui-même est un immigré, notre identité n'est faite que de différences, martèlent sans interruption les plus hautes autorités intellectuelles). Ce qui distingue le dehors du dedans est *applaudi*. Sous le prisme du romantisme pour autrui, la nouvelle norme sociale de la diversité dessine une France où l'origine n'a droit de cité qu'à la condition d'être exotique et où une seule identité est frappée d'irréalité : l'identité nationale. D'un collégien qui s'appelle Joubert ou Poincaré, ses condisciples, étonnés et vaguement compatissants, disent aujourd'hui qu'« il n'a même pas d'origine ». Et quand un militant d'ACLEFEU, une association créée après les émeutes de 2005, se déclare français, c'est pour préciser aussitôt : « Je ne suis pas un Français issu de l'immigration, je suis un Français faisant partie de la diversité française. » Cette déclaration signifie non qu'il combine plusieurs appartenances, mais que la France en lui, ce n'est pas ce qu'il est invité à devenir, c'est ce qu'il est déjà. Ce n'est pas le *tableau* que lui découvrent et que lui offrent ces vers de Paul-Jean Toulet :

> *Ô France, et vous Île-de-France,*
> *Fleurs de pourpre, fruits d'or,*
> *L'été lorsque tout dort*
> *Pas légers dans le corridor.*

C'est le *cadeau* qu'il fait de son être au pays où il vit. La charge affective qui se portait autrefois sur la communauté nationale reflue sur lui-même et sur ceux qu'il appelle de plus en plus souvent ses frères ou ses sœurs. La France tend ainsi à se transformer en *auberge espagnole* et les mots d'assimilation ou même d'intégration perdent toute pertinence. La société se doit désormais d'être *inclusive*. De ce nouveau paradigme, le secrétaire général du Collectif contre l'islamophobie en France a donné une version plus radicale encore que le militant d'ACLEFEU. Il a déclaré en 2011 : « Personne n'a le droit dans ce pays de définir pour nous ce qu'est l'identité française. » Emmanuel Levinas confiait naguère que Maurice Blanchot fut pour lui « comme l'expression même de l'excellence française ; pas tant à cause des idées qu'à cause d'une certaine possibilité de dire les choses, très difficile à imiter, et apparaissant comme une force très haute ». Cette admiration n'a plus cours. Pour la première fois dans l'histoire de l'immigration, l'accueilli refuse à l'accueillant, quel qu'il soit, la faculté d'incarner le pays d'accueil. Et en 2012, le Collectif contre l'islamophobie a lancé une grande campagne de sensibilisation, sous ce slogan sans équivoque : « La nation, c'est nous. » Bien qu'il n'y ait pas même un petit strapontin pour elle dans ce « nous » dit de la diversité, l'opinion éclairée s'est félicitée du succès de l'opération car, forte des enseignements de l'histoire, elle veut faire face dignement à la nouvelle réalité multiculturelle. Mais la dignité poussée jusqu'à l'effacement de soi ne se renverse-t-elle pas en son contraire ?

La leçon de Claude Lévi-Strauss

En 2005, paraissait un rapport rédigé par dix inspecteurs généraux de l'Éducation nationale sur les signes et manifestations d'appartenance religieuse dans les établissements scolaires. L'étude révélait qu'un « phénomène d'une tout autre ampleur » que la seule question du voile affectait les quartiers sensibles. Elle faisait état notamment des difficultés croissantes que rencontraient, dans leur enseignement même, les professeurs de lettres ou de philosophie. On y apprenait, par exemple, que les Lumières et leurs représentants sont très mal vus : « Rousseau est contraire à ma religion », déclare un élève d'un lycée professionnel, et, joignant le geste à la parole, il sort du cours. Le *Tartuffe* de Molière est également une cible de choix : refus d'étudier ou de jouer la pièce, boycott ou perturbation d'une représentation. *Madame Bovary* est jugé dangereusement favorable à la liberté de la femme : « Dans certains quartiers, écrivent les auteurs du rapport, les élèves sont incités à se méfier de tout ce que les professeurs leur proposent, qui doit d'abord être un objet de suspicion, comme ce qu'ils trouvent à la cantine dans leur assiette ; et ils sont engagés à trier les textes étudiés selon les mêmes catégories religieuses du *halal* (autorisé) et du *haram* (interdit). »

Et l'enseignement le plus litigieux, le plus transgressif, le moins *halal* aujourd'hui est celui de l'histoire. Il a beau, cet enseignement, ouvrir toujours plus l'histoire de France sur l'extérieur afin que les élèves issus de l'immigration « s'y retrouvent », selon les termes du secrétaire général de l'Association des professeurs d'histoire et de géographie, on l'accuse de véhiculer une idéologie partiale et mensongère. Un autre rapport, plus récent, celui déjà cité du Haut Conseil à l'intégration, résume la situation en ces termes : « Pour des générations d'enfants d'immigrés, la remise en question de l'histoire ne s'est pas posée. La formule bien connue de "nos ancêtres les Gaulois", aujourd'hui considérée comme assimilatrice, était conçue comme un moyen d'intégrer dans une même histoire des écoliers venus de pays différents. Or, depuis plusieurs années, dans un nombre croissant d'établissements, les cours d'histoire sont le lieu de contestations, ou d'affrontements et de mise en concurrence de mémoires particulières qui témoignent du refus de partager une histoire commune. [...] Trois questions provoquent des situations de tension dans certains établissements : l'enseignement du fait religieux ; l'extermination des Juifs d'Europe ; le Proche-Orient (le conflit israélo-palestinien). [...] La vision du monde qui semble s'opérer est binaire : d'un côté, les opprimés, victimes de l'impérialisme des Occidentaux, et ce, depuis les temps les plus reculés, et, de l'autre, les oppresseurs, les Européens et les Américains blancs pilleurs des pays du tiers-monde. Cette vision fantasmée sert d'explication à l'histoire du monde et de justification aux échecs personnels. »

Dans *L'Irrévolution*, roman paru en 1971, Pascal Lainé met en scène un jeune professeur de philosophie qui lui ressemble comme un frère. Il est agrégé et politisé, c'est-à-dire — 68 oblige — contestataire. Nommé pour son premier poste dans le lycée technique d'une petite ville du nord de la France, il se heurte à « l'exaspérante docilité » de ses élèves. Ils sont sages comme des images quand il les voudrait rétifs et même frondeurs. Ils sont passifs, ils sont malléables, alors qu'il aimerait tant les voir ruer dans les brancards : « Ils arrivent même à tirer des notes de mon charabia ; prendre des notes ; la seule chose dont ils ne démordent pas ! Or c'est cela l'important : obtenir qu'ils ne prennent plus de notes ; et pareillement qu'ils me discutent. Ces notes qu'ils prennent ; qu'ils prennent indifféremment quelque bêtise qu'il me passe par la tête : c'est la marque, c'est le signe convenu, c'est l'acceptation de la sujétion. Que faire pour qu'ils se révoltent contre moi ? C'est en se révoltant contre moi seulement qu'ils auront appris quelque chose de moi. »

Comme cette lamentation (qui a pu être aussi la mienne) nous paraît aujourd'hui lointaine et luxueuse ! Nous ne pouvons plus faire nôtre le spleen de l'adulte gâté qui pense avec Mao qu'on a toujours raison de se révolter et qui rêve avec Foucault d'une sortie de l'âge disciplinaire. Le grand problème contemporain, ce n'est pas la docilité de la réception, c'est la brutalité de la fin de non-recevoir opposée aux contenus de l'enseignement par un nombre grandissant d'élèves. Ce n'est pas l'apathie, c'est l'agressivité. Ce n'est pas l'absence d'esprit critique, c'est la critique ignorante de la culture scolaire. Même les professeurs qui, dans la lignée de Fanon, de Badiou ou de Vattimo, considèrent que l'Occident est le grand coupable, souffrent d'une telle situation. Les plus engagés arrivent à tenir le choc. Ils ne se laissent pas abattre. Prenant stoïquement sur eux, ils disent que la rage dont ils sont les témoins et parfois les victimes ne doit pas être stigmatisée au nom de la laïcité, mais comprise en termes politiques, c'est-à-dire laïques, comme un acte de résistance à la grande injustice globale qui se déchaîne à Gaza et qui sévit aussi dans les banlieues. Ils surmontent donc leur trouble initial et demeurent solidaires de ceux que leur idée de l'histoire désigne sous le nom de *dominés*. Ce nom ne doit être sali sous aucun prétexte. Aussi prennent-ils, en toutes circonstances, le parti de l'empathie, à l'image de l'écrivain Salim Bachi qui, pour un grand quotidien français, s'est mis dans la tête de Mohamed Merah et a réussi l'exploit de faire tenir à ce septuple assassin les propos pathétiques d'un enfant perdu : « Donnez-moi vos bombes et je vous donnerai le pistolet avec lequel j'ai tué ces gamins pour venger d'autres gamins tués par des paras israéliens ou français c'est la même chose vu du trou sans fond où l'on se trouve. » Mais, comme le montrent les rapports qui s'empilent sur les bureaux des différents gouvernements, toujours plus nombreux sont les professeurs qui, bien que tourmentés par la mauvaise conscience et préparés par leur maître penseur à déconstruire la culture dominante, se refusent à cautionner l'hostilité butée dont cette culture fait l'objet. De la soumission à la contestation en passant par le détachement, ils avaient anticipé tous les scénarios sauf celui d'une indignation indigne, d'une haine obscène, d'une révolte plus révoltante que l'ordre qu'elle dénonce. Ils n'avaient pas prévu que leur métier puisse devenir un « sport de combat », selon l'expression de l'un des leurs, interrogé à la télévision après avoir été roué de coups par un élève d'origine marocaine qui s'était senti insulté par son cours sur le fait religieux depuis 1880. Cette stupeur et ce désarroi attendent encore leur romancier.

À l'époque de *L'Irrévolution*, le peuple habitait les quartiers populaires et ses enfants entraient dans l'enseignement professionnel ou suivaient le cursus technique au lycée. À l'ère de la diversité, le peuple se divise en deux composantes qui s'éloignent dramatiquement l'une de l'autre. Les Français qu'on n'ose plus dire de souche et les Français d'origine étrangère qui avaient joué le jeu de l'assimilation s'installent dans les zones rurales ou périurbaines. Ils vivaient « de l'autre côté du périphérique ». Ils vivent désormais de l'autre côté de la banlieue. Dans son livre *Fractures françaises*, le géographe Christophe Guilluy explique ce *séparatisme d'en bas* par le fait qu'avec le passage d'une immigration de travail à une immigration familiale, les autochtones ont perdu le statut de référent culturel qui était le leur dans les périodes précédentes de l'immigration. Ils ne sont plus prescripteurs. Quand le cybercafé s'appelle

« Bled.com » et que la boucherie ou le fast-food ou les deux sont halal, ces sédentaires font l'expérience déroutante de l'exil. Quand ils voient se multiplier les conversions à l'islam, ils se demandent où ils habitent. Ils n'ont pas bougé, mais tout a changé autour d'eux. Ont-ils peur de l'étranger ? Se ferment-ils à l'Autre ? Non, ils se sentent devenir étrangers sur leur propre sol. Ils incarnaient la norme, ils se retrouvent à la marge. Ils étaient la majorité dans un environnement familier ; les voici minoritaires dans un espace dont ils ont perdu la maîtrise. C'est à cette situation qu'ils réagissent en allant vivre ailleurs. C'est pour ne pas y être à nouveau exposés qu'ils se montrent généralement hostiles à la construction de logements sociaux dans les communes où ils ont élu domicile. Plus l'immigration augmente et plus le territoire se fragmente. On sait depuis longtemps que les riches tiennent les pauvres à distance et que l'embourgeoisement et même seulement l'accession à la classe moyenne se traduisent presque toujours par le déménagement. Mais voici que des pauvres — ouvriers, employés, travailleurs précaires, salariés à temps partiel — s'écartent d'autres pauvres. Et ils sortent, en même temps, du droit chemin politique qui était jusque-là le leur : ayant le sentiment que la gauche ne tient aucun compte de leur malaise, ils s'en détachent massivement. Une rupture silencieuse s'opère entre cette expérience prolétarienne et le grand récit de lutte et d'émancipation qui était censé la prendre en charge. On observe le même phénomène en Grande-Bretagne, en Allemagne ou dans les pays scandinaves, mais la gauche aurait tort de s'en faire et de battre sa coulpe selon la fondation Terra Nova, l'un des « think tanks » les plus dynamiques du Parti socialiste français. La confiance est de mise, non la mauvaise conscience, car une nouvelle coalition émerge formée des diplômés, des jeunes, des minorités et des femmes en lutte pour l'égalité. Elle représente, cette coalition arc-en-ciel, la France de demain : une France qui veut le changement, qui est tolérante, ouverte, solidaire, optimiste, offensive. À cette France résolument tournée vers l'avenir, s'oppose la France de Maurice Barrès et d'Amélie Poulain, la France qui regrette le bon vieux temps où les Français de souche ne croisaient que leurs pareils, la France sépia qui pleure son homogénéité perdue, la France frileuse qui voudrait vivre à l'écart du monde, la France obsidionale qui perçoit tout nouveau venu comme un envahisseur, la France geignarde du « c'était mieux avant », la France blafarde qui considère que « la France est de moins en moins la France ». Or, les classes populaires ont majoritairement rejoint cette France-là. Elles ont délaissé le camp du progrès, c'est-à-dire de l'humanité en marche vers son unification, pour celui du repli protectionniste et particulariste. Bref, le peuple a déçu la gauche : il s'est figé dans la nostalgie, il est devenu réactionnaire. Prenant à la lettre l'ironique solution préconisée par Bertolt Brecht, au lendemain de la première insurrection ouvrière dans un pays de l'Europe communiste, Terra Nova a donc décidé de le dissoudre et d'*en élire un autre*. Elle l'a fait dans l'euphorie du combat contre les forces du mal et le cœur d'autant plus léger que la déchéance morale de l'ancien peuple s'accompagne très opportunément d'un déclin sociologique. S'il faut en croire Terra Nova, la nouvelle France est vouée à gagner la bataille du nombre. Les ronchons vieillissent, l'évolution démographique les marginalise, leurs jours sont comptés.

Les élections françaises de 2012 ont partiellement démenti cette analyse. Un grand nombre d'ouvriers et d'employés ont sanctionné au second tour le « président des riches » en reportant leurs voix sur le candidat de la gauche. Il reste que le Front national est aujourd'hui le premier parti ouvrier de France. Mais surtout ceux qui dénoncent cette évolution, les sympathiques bobos, pratiquent eux-mêmes l'évitement par le choix de leur lieu de résidence et, plus encore, par celui de l'école où ils inscrivent leurs enfants. Ils ne sont pas moins séparatistes dans les faits que les riches qu'ils abhorrent et que le peuple qui, en se repliant sur le saucisson-pinard, a trahi sa mission. Aussi inconséquents que tranchants, ils se prémunissent de cela même qu'ils font profession de vouloir. Ils prônent l'abolition des frontières tout en érigeant soigneusement les leurs. Ils célèbrent la mixité et ils fuient la promiscuité. Ils font l'éloge du métissage mais cela ne les engage à rien sinon à se mettre en quatre pour obtenir la régularisation de leur « nounou » ou de leur femme de ménage. L'Autre, l'Autre, ils répètent sans cesse ce maître mot, mais c'est dans le confort de l'entre-soi qu'ils cultivent l'exotisme. Sont-ils cyniques ? Sont-ils duplices ? Non, ils sont leurs propres dupes. Ils croient ce qu'ils disent. Seulement ce qu'ils disent les mystifie et les égare en magnifiant ou en camouflant les dispositifs prosaïques du monde réel. À l'expérience qu'ils vivent, ils substituent un récit édifiant et ils sont les premiers à être abusés par ce tour de passe-passe. Mobiles, flexibles, fluides, rapides, ils choisissent pour figure tutélaire Mercure, le dieu aux semelles de vent, alors même que les immeubles où ils habitent sont protégés comme des coffres-forts par une succession de digicodes et d'interphones. La bigarrure dont ils s'enchantent, l'ouverture dont ils s'enorgueillissent sont essentiellement touristiques. Ils rendent grâce à la technique d'avoir aboli les distances et, avec celles-ci, l'opposition du proche et du lointain : tout ce qui avait le cachet mystérieux de l'ailleurs est disponible ici, toutes les musiques, toutes les cuisines, toutes les saveurs, tous les produits et tous les prénoms de la terre sont *en magasin*. Le temps des blinis et de la mozzarella est aussi celui où nul n'a plus besoin d'être russe ou italien pour appeler son enfant Dimitri ou Matteo : il suffit de *se servir*. Au moment précis où le monde commun éclate et s'ethnicise, la consommation se mondialise et les bobos font au nom de celle-ci la leçon à celui-là. Ils aiment à regarder leur déambulation gourmande dans les allées du grand bazar comme une victoire du nomadisme sur les préjugés chauvins. Ils impriment ainsi le sceau de l'idéal à la société de la marchandise. Cette morale n'est pas convaincante. Péché capital pour une morale, elle *se paye de mots*. Je lui opposerai celle d'un penseur que le cosmopolitisme postmoderne a cru pouvoir mettre à son service et qui a déçu son attente : Claude Lévi-Strauss.

En 1952, le déjà célèbre anthropologue prononce à l'Unesco une conférence qui fera date : *Race et histoire*. Le mot *race* n'y est présent que pour être aussitôt destitué et remplacé par celui de *culture* ou de *civilisation*. Et, contrairement à son usage courant issu de la philosophie des Lumières, ce mot lui-même ne doit en aucun cas s'employer au singulier. Il désigne, selon la définition classique d'Edward Burnett Tylor, le tout complexe qui comprend à la fois « les sciences, les croyances, les arts, la morale, les lois, les coutumes et les autres facultés et habitudes acquises par l'homme dans l'état social », mais ce tout n'embrasse pas la totalité des mortels. Chaque culture ou civilisation humaine est tentée de croire qu'elle incarne à elle seule l'humanité et que ceux qui vivent autrement sont des sauvages ou des barbares. Il faut donc, dit Lévi-Strauss, combattre cette tentation. Et il rappelle que, quelques années après la découverte de l'Amérique, pendant que les Espagnols envoyaient des commissions enquêter pour trancher cette épineuse question — les indigènes ont-ils une âme ? —, ces derniers immergeaient les Blancs prisonniers « afin de vérifier, par une surveillance prolongée, si leur cadavre était, ou non, sujet à la putréfaction ». Il conclut de cette similitude de comportement : « Le barbare, c'est d'abord l'homme qui croit à la barbarie. » Il ôte ainsi sa raison d'être à la colonisation et il retrouve Montaigne : « Chacun appelle barbarie ce qui n'est pas de son usage. »

La conférence *Race et histoire* a été reçue et fêtée comme une nouvelle *Lettre sur la tolérance*. Après la mise en pièces du dogmatisme, le combat contre l'ethnocentrisme ; après l'acceptation de la diversité des opinions individuelles, la prise en compte de la diversité culturelle du genre humain. Cette prise en compte est aussi une autocritique : l'Europe a justifié sa domination sur le reste du monde par les prouesses techniques dont elle pouvait se targuer. En montrant de quelle cécité ce sentiment de supériorité témoigne, Lévi-Strauss lui rabat le caquet et elle l'en remercie car elle ne saurait se refonder dans un autre terreau que la mauvaise conscience.

Roger Caillois a objecté à l'ethnologue que l'enquête ethnologique était l'apanage de la civilisation occidentale et la preuve « incontestable » de sa supériorité. Aucune autre civilisation ne s'était montrée capable d'un pareil accomplissement. Aucune n'avait regardé le dehors avec une telle curiosité. Aucune ne s'était regardée du dehors avec une telle avidité. Aucune n'avait su comme la nôtre sortir ainsi d'elle-même. Cette objection (sérieuse) n'a pas été retenue. Très vite, la conférence de Lévi-Strauss est devenue un classique. Elle comblait l'attente de tous ceux qui pensaient, au vu du XXe siècle, que l'Europe était son pire, sinon même son seul ennemi, et qu'il lui incombait de ne jamais laisser sans surveillance le mal qui couvait en son sein. On a donc salué le renfort inestimable qu'apportait l'anthropologue au combat des Européens contre leurs propres démons. On a célébré, face à toutes les formes du rejet de l'Autre, les vertus pédagogiques de l'affirmation par un grand savant que « la vie de l'humanité ne se développe pas sous le régime d'une uniforme monotonie mais à travers des modes extraordinairement diversifiés de sociétés et de civilisations ».

Race et histoire n'était pas le dernier mot de Claude Lévi-Strauss. Vingt ans plus tard, il prononce, dans la même enceinte, une autre conférence, *Race et culture*, et là, devant les délégués majoritaires et médusés des pays du tiers-monde, il fait scandale. Il avait écrit le bréviaire de l'antiracisme ; le voici qui montre, comme l'écrit admirativement (et courageusement) Jean Daniel, que « le problème du racisme est bien plus complexe que ne l'affirment tous les jours les moralistes » en se croyant, qui plus est, lévi-straussiens. À la confusion régnante entre attitudes normales et penchants criminels, Lévi-Strauss oppose une définition aussi précise que possible du racisme. Cette doctrine, dit-il, est une doctrine qui peut se résumer en quatre points : il existe une corrélation entre le patrimoine génétique et les aptitudes intellectuelles ; ce patrimoine est commun à tous les membres de certains groupes humains ; ces groupes appelés races peuvent être hiérarchisés ; cette hiérarchie autorise les « races » dites supérieures à commander, à exploiter les autres, éventuellement à les détruire. Ce discours scientifiquement indéfendable conduit à des pratiques abominables, mais, prévient solennellement Lévi-Strauss :

« On ne saurait ranger sous la même rubrique ou imputer automatiquement au même préjugé l'attitude des individus ou des groupes que leur fidélité à certaines valeurs rend totalement ou partiellement étrangers à d'autres valeurs. » Ne pas confondre donc racisme et quant-à-soi. Consommateurs planétaires, nous ne sommes pas, pour autant, des êtres interchangeables et nous avons le droit d'aspirer à ne pas le devenir. « Il n'est nullement coupable de placer une manière de vivre ou de penser au-dessus de toutes les autres et d'éprouver peu d'attirance envers tels ou tels dont le genre de vie, respectable en lui-même, s'éloigne par trop de celui auquel on est traditionnellement attaché. » Et Lévi-Strauss de conclure : « Cette incommunicabilité relative n'autorise pas à opprimer ou à détruire les valeurs qu'on rejette ou leurs représentants, mais, maintenue dans ces limites, elle n'a rien de révoltant. Elle peut même représenter le prix à payer pour que les systèmes de valeurs de chaque famille spirituelle ou de chaque communauté se conservent, et trouvent dans leur propre fonds les ressources nécessaires à leur renouvellement. »

Nous ne produisons du neuf qu'à partir de ce que nous avons reçu. Oublier ou excommunier notre passé, ce n'est pas nous ouvrir à la dimension de l'avenir : c'est nous soumettre, sans résistance, à la force des choses. Si rien ne se perpétue, aucun commencement n'est possible. Et si tout se mélange, non plus. L'ancien et le moderne risquent de sombrer ensemble dans l'océan de l'indifférenciation. Le monde humain et terrestre a besoin de frontières. Lévi-Strauss nous invite donc, nous autres, Français, nous autres, Européens, à revoir nos prétentions à la baisse, sans pour autant renoncer à ce qui nous fonde. Nous devons, dit-il, tirer les leçons du XXe siècle en faisant la place à l'altérité. Mais ne sommes-nous pas nous-mêmes l'autre de l'Autre ? Et cet autre n'a-t-il pas le droit lui aussi d'être et de persévérer dans son être ? L'abandon de la grande ambition des Lumières, qui était de donner au monde entier notre visage, ne doit pas conduire à l'effacement de ce visage. Et pour bien se faire comprendre, Lévi-Strauss prêche par l'exemple. Dans *De près et de loin*, un livre d'entretiens avec Didier Eribon, publié en 1998, il affirme que si une communauté ethnique « s'accommode du bruit ou même s'y complaît », il ne la vouera pas aux gémonies, il ne prononcera pas son exclusion du genre humain et il se gardera bien évidemment d'incriminer son patrimoine génétique. Toutefois, ajoute-t-il, « je préférerai ne pas vivre trop près, et n'apprécierai pas

que, sous ce méchant prétexte, on cherche à
me culpabiliser ».

L'immigration qui contribue et qui contri-
buera toujours davantage au peuplement du
Vieux Monde renvoie les nations européennes
et l'Europe elle-même à leur identité. Les individus cosmopolites que nous étions sponta-
nément s'étaient déshabitués de dire *nous*. Et
nous voici, à notre corps défendant, redevenus
romantiques. Nous faisons la découverte de
notre être, sous le choc de la pluralité. Découverte précieuse, découverte périlleuse : il nous
faut combattre la tentation ethnocentrique de
persécuter les différences et de nous ériger en
modèle idéal sans pour autant succomber à la
tentation pénitentielle de nous déprendre de
nous-mêmes pour expier nos fautes. La bonne
conscience nous est interdite mais il y a des
limites à la mauvaise conscience. Notre héritage
qui ne fait certes pas de nous des êtres supé-
rieurs mérite d'être préservé et entretenu. Ce
qui n'implique, en aucune façon, un retour à
Taine, à Barrès et à leur pathos de l'enracinement. Il existe certes des Français de souche. Et
l'on ne doit pas tenir cette donnée pour négli-
geable, méprisable ou déjà coupable. De Gaulle
n'aurait pu éprouver, en juin 1940, la certitude absolue d'incarner la France s'il n'était

issu d'une vieille famille française. Il lui fallait cette hérédité. Il lui fallait cette profondeur de temps. Il lui fallait cette légitimité filiale. Mais d'autres l'ont rejoint, qui n'avaient pas de semblables armoiries, qui étaient même, selon ses propres termes affectueux et reconnaissants, des *métèques*. Car, comme le dit Emmanuel Levinas, « la France est une nation à laquelle on peut s'attacher par le cœur aussi fortement que par les racines ». Cette nation et cette idée de la nation se trouvaient engagées dans une lutte inexpiable entre 1939 et 1945, avec la mystique du sang et du sol.

Avec ses platanes et ses marronniers, ses paysages et son histoire, son génie propre et ses emprunts, sa langue, ses œuvres et ses échanges, la modalité française de la civilisation européenne dessine un monde. Et ce monde se propose aussi bien aux autochtones qu'aux nouveaux arrivants. Pour ne pas reconduire les horreurs du passé et pour relever le défi contemporain du vivre-ensemble, on voudrait aujourd'hui effacer la proposition identitaire. Lévi-Strauss nous enseigne, à l'inverse, qu'elle doit être maintenue fermement et transmise sans honte.

« *Une chose belle, précieuse,*
fragile et périssable… »

Mais savons-nous et pouvons-nous encore transmettre ? Y a-t-il encore une place pour les œuvres
et les actions des morts dans le monde fluide,
volatil et volubile des vivants ? Une enquête sur
les pratiques culturelles des Français entre 1973
et 2008 invite à se poser la question. Son auteur,
le sociologue Olivier Donnat, confirme et ampli-
fie le diagnostic de Christian Baudelot : il y a de
moins en moins de lecteurs de livres en France
et ils sont toujours plus vieux. Le public adolescent se détourne massivement des livres, ces
encombrants grimoires, et plonge sans retour
dans l'immatérialité des nouvelles technologies.
Non que les jeunes aient cessé de lire mais ils
multiplient les actes de lecture sur écran. Et il ne
s'agit pas seulement de changement de support.

Dans les pages merveilleuses qu'il a consacrées
à la lecture, Proust compare son expérience

de *La Divine Comédie* ou de Shakespeare avec l'impression ressentie à Venise sur la Piazzetta, devant les deux colonnes « qui portent sur leurs chapiteaux grecs, l'une le Lion de Saint-Marc, l'autre saint Théodore foulant aux pieds le crocodile ». Avec ces admirables sculptures, le passé conteste au présent le monopole de la présence : « Oui, en pleine place publique, au milieu d'aujourd'hui dont il interrompt à cet endroit l'empire, un peu du XIIᵉ siècle, du XIIᵉ siècle depuis si longtemps enfui, se dresse en un double élan léger de granit rose. Tout autour, les jours actuels, les jours que nous vivons circulent, se pressent en bourdonnant autour des colonnes, mais là brusquement s'arrêtent, fuient comme des abeilles repoussées ; car elles ne sont pas dans le présent, ces hautes et fines enclaves du passé, mais dans un autre temps où il est interdit au présent de pénétrer. » De même, les livres : telles les colonnes de Venise, ils nous isolent du brouhaha ambiant, ils écartent les jours actuels et, de toute leur mince épaisseur, ils réservent « la place inviolable du passé ».

Ce qui n'est pas le cas de l'écran. Comme l'écrit Nicholas Carr dans son livre *The Shallows : What the Internet is Doing to Our Brains* (traduit en français de manière quelque peu racoleuse par *Internet rend-il bête ?*) : « À tout moment, où que nous soyons, le Net nous offre une masse confuse incroyablement séduisante. » Le livre n'est que textuel ; l'écran mélange le texte, les sons, les images. Le livre, de même que le lion de Saint-Marc, est une *chose* ; sur l'écran, il n'y a pas de choses, mais des *flux*. Le livre se donne comme une entité distincte ; aucune frontière, sur l'écran, ne sépare la page écrite du reste du monde virtuel. Le livre demande une attention soutenue tandis que les dispositifs dont bénéficie le lecteur sur écran permettent de sauter d'un texte à l'autre et, souligne Olivier Donnat, « favorisent les lectures fugaces, discontinues, tournées vers la recherche rapide d'informations ». Le livre propose un monde ; l'écran fluidifie le monde ; lire un livre, c'est suivre un chemin ; la lecture sur écran est un sport de glisse. Le livre déploie un temps où il est interdit au présent de pénétrer ; l'écran multifonctions lève l'interdit et le présent prend le pouvoir sous le nom aussi triomphal que trompeur de « temps réel ». Le livre, enfin, est à sens unique : une voix vient de l'autre rive ; l'écran numérique est à double sens. C'est même, selon Nicholas Carr, sa grande spécificité : « Nous pouvons aussi bien envoyer des messages par le réseau qu'en recevoir. » Lorsqu'une adolescente américaine navigue de site en site pour écrire un devoir sur le poète E. E. Cummings, elle n'a pas moins de neuf fenêtres actives sur le bureau de son ordinateur portable et six d'entre elles sont ouvertes pour autant de conversations de messagerie instantanée, nous dit sa mère, la journaliste Susan Maushart, dans le livre qui, sous le sobre titre de *Pause*, relate l'expérience de déconnexion électronique qu'elle a imposée à sa petite famille.

Ainsi on coupe le contact avec ses contemporains quand on ouvre un livre ; on entre en communication avec eux quand on allume son ordinateur. On peut, bien sûr, alterner les deux occupations et aussi puiser, pour se documenter, pour vérifier une citation, pour secourir sa mémoire, dans les rayonnages illimités de la Toile : « La conversion numérique des collections existantes permet la constitution d'une bibliothèque sans murs où peuvent être accessibles tous les ouvrages qui furent, un jour, publiés, tous les écrits qui constituent le patrimoine de l'humanité », écrit Roger Chartier, titulaire de la chaire « Écrit et cultures dans l'Europe moderne » au Collège de France. D'où l'enthousiasme des chercheurs, la technophilie reconnaissante et militante de la majorité des universitaires. Où qu'ils se trouvent, à la maison ou au fin fond de la forêt amazonienne, ils peuvent d'ores et déjà faire venir instantanément à eux les textes dont ils ont besoin, même les plus rares, même les plus fugaces, même ceux qui ne sont pas disponibles en librairie. « Sur Gallica, s'émerveille un collègue de Roger Chartier, Antoine Compagnon, je consulte presque tous les jours un vieux numéro du *Figaro*, du *Temps* ou de la *Revue des Deux Mondes*. »

Trésor borgésien pour les érudits, mine inépuisable d'informations pour les journalistes, prodigieuse gamme de services pour tout le monde, Internet est aussi, pour certains écrivains, l'occasion d'explorer l'alternative *hypertextuelle* à l'ordre linéaire du discours. Au lieu d'aller toujours de l'avant, la Toile permet à ces novateurs d'interrompre leur course et, par renvois, bifurcations, associations, résonances, de creuser indéfiniment le sens. On comprend leur gratitude devant ces possibilités vertigineuses. Internet enrichit les déjà riches. Mais les bénéficiaires de la révolution numérique pèsent bien peu face à la foule innombrable de ses rejetons. Contrairement aux apparences, la génération Internet est la grande perdante d'Internet. C'en est fini pour elle, qui ne veut connaître que l'écran et par l'écran, de l'expérience proustienne. Alors que Proust enfant et adolescent concentrait son attention sur un objet unique, les libres enfants du numérique dispersent la leur au gré des sollicitations incessantes dont les abreuve la Toile. Le « tout tout de suite » de l'ordinateur leur a désappris la longue patience des voyages immobiles. Ils sont plongés par le continuum de l'information dans *l'oubli de l'œuvre* et quand ils ferment la porte de leur chambre, ce n'est pas pour se mettre à l'écart, c'est pour se brancher et pour « chatter » à loisir. Ils remplacent le plaisir du texte par la frénésie du texto et, des SMS aux pages Facebook, la lecture s'absorbe dans le babil sans fin de la sociabilité virtuelle. Ainsi naît un univers communicationnel dont la description la plus inquiétante n'est pas fournie par les diatribes réactionnaires, mais par la publicité : « Avec ton forfait M6 mobile, garde le contact et sois toujours connecté ! »

Bien qu'elle soit plus puissante que jamais, l'image n'a donc pas aboli l'antique autorité de l'ordre verbal. Pierre Lévy, spécialiste et prophète des nouveaux médias, constate avec raison qu'« il y a du texte aujourd'hui comme il y a de l'eau et du sable ». L'écran n'a pas tué l'écrit. L'acte de lire reste essentiel dans la société numérique. Mais il s'est scindé du livre. Le livre a perdu la bataille de la lecture. Et l'école elle-même, on a commencé de le voir, a rendu les armes. Autrefois haut lieu du livre, elle court éperdument aujourd'hui après les lecteurs volatils qu'engendrent les technologies nouvelles. « Vous êtes terrifiés par vos propres enfants car ils sont nés dans un monde où vous serez à jamais immigrants », a écrit John Perry Barlow, le parolier du groupe de rock Grateful Dead, dans une solennelle déclaration d'indépendance du cyberespace, cette nouvelle demeure de l'esprit. Être vieux, autrement dit, ce n'est plus avoir de l'expérience, c'est, maintenant que l'humanité a changé d'élément, en manquer. Ce n'est plus être le dépositaire d'un savoir, d'une sagesse, d'une histoire ou d'un métier, c'est être handicapé. Les adultes étaient les représentants du monde auprès des nouveaux venus, ils sont désormais ces étrangers, ces empotés, ces culs-terreux que les *digital natives* regardent du haut de leur cybersupériorité incontestable. À eux donc d'intégrer le changement d'ère. Aux anciennes générations d'entamer leur rééducation. Aux parents et aux professeurs de calquer leurs pratiques sur les façons d'être, de regarder, de s'informer et de communiquer de la ville dont les princes sont les enfants. Ce qu'ils font, sur un rythme endiablé et avec un zèle irréprochable, soit en numérisant les outils pédagogiques, soit, comme le montre Mona Ozouf dans un article du *Débat*, en adaptant les manuels non encore dématérialisés à la nouvelle sensibilité numérique. Pour ne pas braquer celle que Michel Serres, tendrement admiratif, appelle « Petite Poucette » en hommage à la maestria avec laquelle les messages fusent de ses pouces, ces manuels imitent autant que faire se peut le paysage étoilé de la Toile en offrant un patchwork de textes courts et d'images scintillantes. Et jamais ils ne repoussent « les abeilles du présent », ils les accueillent à bras ouverts, au contraire, ils s'efforcent même de rivaliser avec leur *buzz* non sans cocasseries involontaires, malicieusement relevées par Mona Ozouf : « Comme la "Première épître aux Corinthiens" n'est à l'évidence pas un texte facile, ils proposent aux élèves de rédiger une lettre destinée à quelque journal après avoir relu la lettre de saint Paul et éventuellement écouté la chanson de Jacques Brel *Quand on n'a que l'amour*. Ils les sollicitent pour des sondages privés de tout suspense : "Admettez-vous que l'on puisse lever tous les tabous ?" et, plus drôle encore : "Seriez-vous partisan d'une réforme de l'orthographe ?" Ils leur demandent de rédiger un "dialogue sur un forum d'Internet entre un adolescent branché et un homme plus âgé qui s'en tient aux méthodes traditionnelles". Tenir l'actualité comme seule capable d'éveiller le désir est la foi des manuels qui parfois l'exhibent ingénument en quatrième de couverture : Magnard dépoussière les classiques et fait briller les contemporains. »

Qu'est-ce que dépoussiérer ? C'est mettre au goût du jour. Ce manuel qui, comme tous ses semblables, combat résolument l'esprit de clocher partage avec eux un *ethnocentrisme du présent* non moins borné, non moins exclusif que l'ancien esprit de clocher. Il fait l'éloge de l'Autre et la chasse à ce qui est autre qu'aujourd'hui, autre que le tout-venant, irréductiblement étranger à l'espace communicationnel où les vivants augmentés de leurs prothèses électroniques s'immergent sans discontinuer. Si l'on étudie *Le Cid* en classe de quatrième, ce n'est pas pour emmener les élèves loin de leurs réseaux sociaux et de leur univers familier, c'est, au contraire, pour y rapatrier Corneille. Et comme l'opération s'avère impraticable, *Le Cid* n'est plus au programme. La majorité des enseignants obéissent aux consignes : choisir une problématique proche des élèves. Ils disposent d'ailleurs, à cette fin, d'ouvrages avec des cours tout faits sur les situations qui ont en commun de *n'être pas dépaysantes* : « le divorce des parents », « la vie difficile dans la cité, confrontée au racisme », par exemple. Ce qu'on appelle glorieusement l'ouverture sur la vie n'est rien d'autre que la fermeture du présent sur lui-même.

Fragilité de l'identité nationale. On la dit étouffante, elle se révèle évanescente. Loin d'être damnée une fois pour toutes, elle se rejoue, s'enrichit ou s'appauvrit, se creuse ou s'édulcore à chaque passage de témoin. Nous ne tenons pas que de nous-mêmes, nous ne sommes pas des dieux : nous naissons dans un lieu et dans une langue mais — l'image de l'arbre est trompeuse — nous ne sommes pas pour autant des êtres programmés. Tout peut arriver. Nulle hérédité n'empêche les héritiers que nous sommes de laisser l'héritage en plan. « Ce que tu as hérité de tes pères, acquiers-le pour le posséder », écrivait Goethe dans *Faust*, car il ne se laissait pas endormir par la métaphore rassurante de l'enracinement. Il nous est permis de congédier nos pères. Nous avons le droit d'être étourdis, inconséquents, discontinus, attirés par mille autres choses. Nous pouvons délaisser la syntaxe du récit national pour la parataxe de l'actualité perpétuelle. Bref, nous sommes libres de faire défaut. Et cette liberté, tout nous y appelle. Résistons au présent, demande Deleuze, mais jamais le présent n'a été aussi irrésistible que depuis la révolution numérique et la multiplication des portails. Jamais l'immédiat n'a occupé une position aussi hégémonique. Jamais il n'a fallu un tel effort de volonté pour *ne pas perdre le fil*. Jamais l'oubli n'a été paré de couleurs aussi vives. Jamais autant de raisons de se laisser distraire n'ont surgi simultanément de tous côtés. Et ne craignons pas le pathos : pour la première fois dans l'histoire, les trois conditions de possibilité de l'entretien avec les morts — le silence, la solitude, la lenteur — sont attaquées en même temps. L'identité nationale est ainsi broyée, comme tout ce qui dure, dans l'instantanéité et l'interactivité des nouveaux médias. Il n'est donc pas besoin de philosophes ou d'historiens pour la déconstruire. La technique suffit à la tâche.

En 1925, soit vingt ans après la méditation proustienne sur la lecture, le grand romaniste allemand Ernst Robert Curtius observe encore que « la littérature joue un rôle capital dans la conscience que la France prend d'elle-même et de sa civilisation » et qu'« aucune autre nation ne lui accorde une place comparable ». Dans les mêmes années, son ami Charles Du Bos affirme sans crainte d'être démenti ou discrédité qu'« il existe un grand dialogue dont il nous faut souhaiter qu'il dure autant que notre race, car il s'en dégage la musique la plus compréhensive et la plus solennelle que le génie français ait fait rendre à l'instrument qui lui est propre : le dialogue Montaigne-Pascal. Un Français est profond dans la mesure où, à son rang, il sait maintenir ce dialogue vivant en lui ». Albert Thibaudet, enfin, élargit la proposition. Le Français est *dialogique*, dit-il, car il habite une littérature qui vit « sous la loi du couple : Montaigne et Pascal, mais aussi Bossuet et Fénelon, Corneille et Racine, Voltaire et Rousseau, Hugo et Lamartine… »

Ces réflexions nous parviennent comme des échos lointains d'un monde disparu. Le Français dépeint par Du Bos appartenait à la bourgeoisie. Et le bourgeois, ce n'était pas seulement l'homme économique, c'était aussi un *héritier*. Il avait certes édifié une société nouvelle gouvernée par l'intérêt mais il s'était bien gardé, en dépit des proclamations révolutionnaires, de faire table rase de l'Ancien Régime, c'est-à-dire, pour parler comme Hume dans le lumineux essai cité plus haut, de la « monarchie civilisée ». « Les républiques favorisent davantage le développement des sciences et les monarchies civilisées celui des arts polis », écrit Hume. Dans les républiques (et pour Hume, l'Angleterre, régime parlementaire, est une république), on recherche ce qui est utile et s'applique à la vie commune ; dans les monarchies civilisées (dont la France est alors le modèle), on cultive le loisir, on pratique l'art de la conversation, et il ne s'agit pas pour celui qui veut gagner les bonnes grâces des grands d'être utile, mais de se rendre agréable « par son esprit, sa complaisance et sa civilité ». De là vient, dit Hume, que « la politesse des mœurs croît plus naturellement dans les monarchies et les cours et là où elle fleurit, aucun des arts libéraux ne sera entièrement négligé ni méprisé ». Les monarchies civilisées permettent et même exigent l'alliance de la pensée et du style.

Les démocrates jusqu'au bout des ongles que nous sommes devenus aimeraient pouvoir faire dériver de l'idée d'égalité l'ensemble des vertus humaines et l'intégralité des bienfaits de la civilisation. Mais l'histoire ne l'entend pas de cette oreille : c'est sous le règne de Louis XIV, quand tout se passait à la cour, que « dans le domaine de l'éloquence, dans la poésie, dans la littérature, dans les livres de morale et d'agrément », les Français furent « les législateurs de l'Europe », comme le souligne Voltaire, un autre penseur des Lumières. Ils ne remplissaient plus cet office en 1925. La France cependant demeurait une patrie littéraire, car la classe industrieuse et commerçante qui dirigeait la société voulait continuer de s'instruire auprès des grands auteurs de ce passé glorieux. Tout en relevant le désir d'enrichissement de sa double condamnation par la morale aristocratique et par la morale chrétienne, la bourgeoisie cultivait les arts libéraux. Il lui importait de *connaître ses classiques.* Il lui importait aussi, pour sûr, de défendre l'ordre établi. Ce qu'elle faisait, depuis son avènement, avec une componction et un esprit de sérieux fustigés par Sartre dans *La Nausée.* Reste que la plupart des écrivains qui lui réglaient son compte se recrutaient dans ses rangs et que leur rébellion, tôt ou tard, entrait dans sa bibliothèque. La critique sociale a fini par prendre acte de la place que ce « supplément d'âme » occupait dans la vie bourgeoise. De Marx ou Dickens à Pierre Bourdieu, elle a donc infléchi son réquisitoire : elle ne met plus seulement en cause l'esprit mercantile de la classe dominante, sa soif du gain et sa tendance à ne considérer les choses ou les êtres que sous l'angle de la rentabilité ; elle fait le procès de son élitisme et de son snobisme. Elle lui reconnaît bien volontiers d'autres mobiles et d'autres stratégies que le strict calcul économique, mais c'est pour dénoncer dans ses jugements de goût le souci permanent de se démarquer du vulgaire. La bourgeoisie n'aimerait les tableaux de maître, la grande littérature, la musique savante que pour jouir de ses titres de noblesse culturelle et de sa supériorité sur un peuple fruste, primaire, barbare. Dickens dénonçait l'idée que « chaque pouce de l'existence humaine, depuis la naissance jusqu'à la mort, devait être un marché réglé comptant ». Bourdieu s'en prend au « caractère sacré, séparé et séparant, de la culture légitime, solennité glacée des grands musées, luxe grandiose des opéras et des grands théâtres, décors et décorum des concerts ». Non seulement, si l'on suit le sociologue, les bourgeois ne méprisent pas la culture mais ils en ont inventé le culte. C'est la culture, en effet, qui élève leur classe au-dessus des autres et la constitue en aristocratie.

Je ne suis pas sûr qu'on puisse ainsi ramener

le goût bourgeois des œuvres à un dégoût des pauvres, ni la religion des humanités à la sournoise mise en place d'un système d'apartheid social : la *distinction* n'explique pas tout. Mais, quoi qu'il en soit, la critique de Bourdieu n'a plus d'objet. Elle a perdu toute pertinence, car les nouveaux nantis sont les fossoyeurs de la bourgeoisie, non ses continuateurs. Ils fréquentent encore les musées ou, du moins, les grandes « expos » qui n'ont plus rien de solennel, mais les bourgeois n'auraient jamais appelé musique ce qu'ils entendent maintenant sous ce nom. Peu leur importe, de surcroît, Corneille et Racine ou aucun des couples constitutifs de la littérature française et de ce qui fut longtemps son enseignement. Comme le disaient, dès 1989, Christian Baudelot et Roger Establet dans *Le niveau monte*, un livre sur l'école dont le titre triomphal suscite aujourd'hui un amer fou rire : « Le cadre supérieur moderne doit apprendre l'art de la lecture rapide, le résumé, les langues étrangères orales, le tennis. » Il détonnerait dans un déjeuner d'affaires en récitant *Bérénice*, ou « Tristesse d'Olympio ». Et c'était avant que les mégastores culturels ne relèguent les livres au dernier étage pour mieux mettre en valeur les objets, les supports et les contenus de la nouvelle médiasphère.

La consommation ostentatoire bat toujours son plein, mais lorsqu'un banquier, tel Matthieu

Pigasse, veut se distinguer de ses pairs et du commun des mortels tout en affichant une conformité parfaite avec l'esprit du temps, il revendique sa « culture punk » et il explique que, pour galvaniser son énergie créatrice, il écoute, le plus fort possible, du « rock hostile » au grand dam de ses collaborateurs. Quelles qu'aient été les raisons — pose ou inclination véritable —, la bourgeoisie tenait la culture en haute estime. Les nouvelles élites, surbookées et hyperconnectées, se sont, quant à elles délestées de l'héritage des siècles. Bourgeoises, elles ne le sont que par leur goût du confort. Le reste est passé à la trappe. Et que l'on ne parle pas à nos planétaires de « génie français » : drapés dans la mémoire du XXe siècle, ils rejettent le mot avec horreur et se font un devoir d'oublier tout ce qu'il contient.

Restent, bien sûr, les intellectuels. Ce sont d'insatiables lecteurs et il y a toujours une place sur leurs étagères pour la littérature. Quand il s'agit, toutefois, d'aborder les choses sérieuses et que l'intelligibilité du monde est en jeu, les professionnels des choses de l'esprit se tournent majoritairement vers l'économie, l'ethnologie, la sociologie, l'histoire des mentalités. Cette relève des humanités par les sciences sociales a une indubitable rentabilité cognitive mais ce qui se perd, en même temps, c'est le *surmoi littéraire* qui faisait tenir la langue debout. Et l'on voit la conversation française s'avachir au moment même où les nouvelles technologies portent à son apogée la communication entre les hommes.

Pour illustrer le bon usage du français avec des citations littéraires, comme le fait encore le grammairien Maurice Grevisse, il faut croire que, par l'entremise des écrivains, la beauté régit la langue et que le style n'est pas un enjolivement gratuit mais, comme le soutenait Proust, une qualité de la vision. Cette foi s'estompe. À l'ère des droits humains et des sciences de l'homme, toutes les statues sont déboulonnées. Corneille et Racine descendent de leur piédestal, on ne salue plus la grâce ou la justesse de leurs alexandrins car, pense-t-on, tous les discours, toutes les formulations se valent, à charge pour le grammairien devenu linguiste d'homologuer les plus fréquents. Légiférer, c'est légaliser le fait accompli. Désormais, les nouveaux Grevisse ne forment pas un tribunal mais une chambre d'enregistrement. Ils n'indiquent plus la marche à suivre ; se gardant bien de faire la police, ils accompagnent, tout sourires, l'évolution de la langue. Au lieu, comme autrefois, de soumettre l'expression orale aux règles du bien écrire, ils entreprennent de l'arracher à l'emprise mortifère des puristes : la pratique majoritaire désormais constitue la norme. À ceux qui s'interrogent anxieusement sur la valeur du changement, ils répliquent allègrement que la valeur réside dans le changement lui-même et que la fin d'un monde n'est pas la fin du monde mais l'aube d'une vie nouvelle. Il ne saurait y avoir, pour ces optimistes à tous crins, de débâcle syntaxique ou d'appauvrissement lexical. Le processus en cours peut bien enterrer le subjonctif, abandonner les liaisons, raréfier les mots, généraliser, du sommet de l'État au café du Commerce en passant par les salles des profs, le redoublement infantile du sujet (« La France, elle a plein d'atouts » ; « La crise, elle est loin d'être finie » ; « Les gamins, ils galèrent et personne se bouge »), l'idéal n'est jamais bafoué puisque l'idéal, c'est le processus lui-même.

L'enseignement littéraire, il est vrai, n'a pas disparu. Quelques lieux demeurent où, plutôt que d'annexer les classiques à l'esprit du temps, on les étudie pour eux-mêmes, avec autant d'érudition que de passion. Mais, comme le souligne admirablement Péguy dans *Les Suppliants parallèles*, « il y a un abîme pour une culture [...] entre figurer à son rang linéaire dans la mémoire et dans l'enseignement de quelques savants et dans quelques catalogues de bibliothèques, et s'incorporer au contraire, par des études secondaires, par des humanités, dans tout le corps pensant et vivant, dans tout le corps sentant de tout un peuple, [...] dans tout le corps des artistes, des poètes, des philosophes, des écrivains, des savants, des hommes d'action, de tous les hommes de goût, [...] de tous ces hommes en un mot qui formaient un peuple cultivé, dans le peuple, dans le peuple au sens large ». Ce peuple n'existe plus. On peut même dire que le dernier clou a été planté sur son cercueil, le 20 mars 2013, par la ministre française de l'Enseignement supérieur lorsqu'elle a déclaré, pour justifier la fin du monopole de la langue nationale dans les cours, examens, mémoires et thèses : « Si nous n'autorisons pas les cours en anglais, nous n'attirerons pas les étudiants des pays émergents comme la Corée du Sud et l'Inde. Et nous nous retrouverons à cinq à discuter de Proust autour d'une table, même si j'aime Proust. » Cinq, dit-elle, alors même que près de 80 % des jeunes aujourd'hui obtiennent un baccalauréat. L'école « ouverte » n'a donc pas cultivé le peuple, elle a eu raison du peuple cultivé. Une nouvelle société a vu le jour. Et si nous voulons savoir comment cette société pense et quelle langue elle parle, écoutons la présidente des « Marianne de la diversité », une association créée, comme son nom l'indique, pour encourager et promouvoir l'émergence de talents féminins dans la France plurielle : « Compte tenu de notre histoire, de notre passé, de notre *logiciel*, nous sommes *en capacité de* refonder notre modèle républicain et de le rendre plus égalitaire et plus attentif aux faibles, aux minorités. C'est un devoir de responsabilité si nous voulons que le vivre et faire ensemble ait un sens. » La Marianne du XXIe siècle pousse si loin le souci des humbles qu'elle lui a immolé le peuple cultivé, et elle a fait remplacer le vieux génie de la nation par un logiciel flambant neuf car la réalité n'existe pour elle que comme programme et la langue comme message ou comme information. Rien ne reste du reste qui, autrefois, était littérature.

Le fonctionnalisme règne donc et il conduit à l'uniformité. Une fois le verbe réduit à un véhicule, à un moyen d'information et de communication, tout le monde en vient à emprunter le plus confortable. Rien ne distingue entre eux des locuteurs qui ne parlent que pour se faire comprendre. Dès lors que dans le signe on ne perçoit plus que le signifié, « le divers décroît » et c'est la fin progressive des niveaux de langue. Symptôme criant de cette disparition : le sous-titrage systématiquement scatologique des films en version originale. « *Boring* » n'est jamais traduit que par « chiant » et « *in trouble* » par « dans la merde ». Qu'ils soient millionnaires ou prolétaires, financiers ou travailleurs saisonniers, les Anglais et les Américains d'aujourd'hui font un usage immodéré de « *shit* » et de « *fuck* » sans jamais craindre que ne retentisse à leurs oreilles le proverbial « *shocking !* » des siècles antérieurs, mais quand il arrive encore à quelques originaux évadés d'un roman de Jane Austen ou de Henry James de dire qu'ils s'ennuient, qu'ils sont contrariés ou qu'ils ont le vague à l'âme, nous les attirons aussitôt dans la mer d'excréments où nos malheurs ont élu domicile. Les digues élevées par la politesse contre le déferlement de la matière ont été emportées. Voici même que l'animatrice chargée de la météo sur une chaîne de télévision renommée, et imitée partout pour son impertinence, annonce qu'il pleuvra en plein mois de mai sur le festival de Cannes par ces mots : « Un temps de merde. » La merde envahit tout, le ciel, la terre, la famille, l'école, le bureau, les transports — elle est l'un des fleurons de ce que Renaud Camus appelle, par antiphrase, le « répertoire des délicatesses du français contemporain ». Mais nul ne semble incommodé car *nous parlons sans nous entendre.* Des mots, le logiciel social ne se représente pas ce qu'ils désignent, seulement ce qu'ils veulent dire. Il enregistre donc sans broncher la mise en exergue par le journal *Libération* de cette maxime de l'escrimeur français Gauthier Grumier, sélectionné pour les Jeux olympiques de Londres en 2012 : « En chier, jusqu'à la perfection. »

Ce n'est pas la vulgarité qui est choquante dans l'usage public de cette expression, et qui signe l'entrée de la société française dans l'ère simultanément postbourgeoise, postargotique et postlittéraire, c'est que cette vulgarité ne soit même plus audible. Ses coups de clairon ne réveillent personne. Sa présence n'imprime pas. Pour le nouveau régime sémantique, la forme ne compte pour rien, seul le sens fait sens. Et si la forme n'a aucune importance, alors à quoi bon se fatiguer à *mettre les formes* ? On va droit au but, on se dépouille de ces oripeaux inutiles. On dit son « ressenti » sans filtre, sans fioritures. On ne s'embarrasse pas de nuances ni d'effets oratoires. On ne sacrifie plus aux apparences : on se met à l'aise. Aucune périphrase, aucun euphémisme n'amortissent l'irruption dans le discours des difficultés ou des mauvaises surprises de l'existence. « Merde » et « chiant » n'ont plus d'odeur mais ces mots conservent sur leurs synonymes bien élevés la supériorité de l'affect brut sur l'affectation, le jeu social et les contraintes du monde. Aux délicats et aux grincheux qui s'émeuvent de cette absence de retenue, la société, toutes classes désormais confondues, répond dans un éclat de rire : « On va se gêner ! » Et c'est avec le plus grand naturel qu'un syndicat de magistrats choisit d'afficher sur un « mur des cons » les photographies et les noms de tous ceux que ses membres ne peuvent pas voir en peinture.

Dans le souci des formes, notre temps voit

s'exercer les méfaits de la censure et les ravages de la *langue de bois*. Il emprunte cette dernière expression au lexique de la dissidence anti-totalitaire, mais il en modifie radicalement le sens. La langue de bois, ce ne sont plus les syntagmes figés, les stéréotypes vengeurs ou les extases toutes faites de l'idéologie ; ce sont les contraintes civilisationnelles qui pèsent encore sur le discours. Dans l'idiome politico-médiatique d'aujourd'hui, arrêter la langue de bois, c'est « se lâcher », « être nature », donner congé à la rhétorique, parler sans prendre de gants. À propos d'une ancienne candidate à la présidence de la République, Daniel Cohn-Bendit a eu ce compliment de connaisseur : « Ségolène Royal est une vraie soixante-huitarde. Elle dit : "Quand ça me fait chier, je m'en vais." »

Pour surmonter ses humeurs et pour ciseler ses phrases, il faut vouloir faire bonne figure, se montrer à son avantage. On parle comme ça vient, en revanche, quand on veut être et se montrer tel qu'on est. Hypocrisie des uns, authenticité des autres ? Les choses ne sont pas si simples : chacun de ces comportements est porteur d'une morale et d'une conception de la vérité. Soit, en effet, la vérité résulte d'une mise à l'épreuve ; soit elle est déjà là, cachée, refoulée et ne demande qu'à sortir. Dans le premier cas, l'homme véridique est celui qui fait tout ce qui est en son pouvoir pour ressembler à l'image qu'il a décidé de donner de lui-même : il s'accomplit par le défi qu'il se lance. Dans le second, l'homme vrai est celui qui dénonce sans trembler les tabous, les faux-semblants, les protocoles : il se réalise en se désinhibant. C'est ce second modèle que notre temps a choisi. Là où il y avait ascèse, on ne voit désormais que travestissement et trucage. Devenues mensongères, les apparences ont perdu la partie. Et avec elles, les morts. Apparaître, en effet, c'était, peu ou prou, comparaître devant eux. Ils formaient, jusqu'à une date récente, le tribunal de la pensée et de la langue. À condition de ne surtout pas « se faire chier », les démocrates actuels participent en assistant à d'innombrables débats sur les questions politiques, économiques, sociales et, comme on dit, *sociétales*, mais ils n'ont pas de comptes à rendre et, qui plus est, ils débattent avec leurs pairs, jamais avec les siècles. Sur tel ou tel sujet, il n'importe nullement de savoir ce que pensent Péguy ou Pascal, ni d'interroger Voltaire et Rousseau, sauf si on peut leur faire ratifier les opinions ou, encore mieux, les *indignations* du jour. Et les morts se mêlent-ils, par la littérature, à la conversation française, que l'Autre ou, du moins, ceux qui parlent en son nom, fondent sur eux et les font déguerpir. Ces porte-parole zélés siègent dans tous les gouvernements. Vilipendé par la gauche mais tout aussi déterminé qu'elle à ne pas laisser les défunts faire de différence entre les vivants, celui de 2008 a supprimé les épreuves de culture générale des concours administratifs parce que, disait le secrétaire d'État à la Fonction publique, « ces épreuves éliminent tous ceux qui n'ont pas les codes souvent hérités du milieu familial. C'est une forme de discrimination invisible ». Cette décision a reçu l'appui enthousiaste du CRAN (le Conseil représentatif des associations noires de France) : « Nous nous satisfaisons que le gouvernement s'attaque enfin aux discriminations indirectes qui sont les plus nombreuses et les plus graves. [...] Il était temps que l'État, premier employeur de France, donne l'exemple de la diversité au sein de la fonction publique et montre sa volonté d'avancer dans ce domaine. »

En 2011, l'Institut d'études politiques de Paris a pris la même décision en invoquant le même motif : la culture générale favorise les favorisés. Elle avantage la vieille France au détriment de la nouvelle, la bourgeoisie traditionnelle au détriment des minorités ethniques, les héritiers au détriment de la diversité. Si la France veut se conformer à ce qu'elle est devenue, elle doit rompre le commerce endogame avec ses classiques et introduire d'autres critères de sélection, « l'engagement dans la vie associative, sportive, culturelle, politique ou syndicale », la capacité de développer une réflexion personnelle, le goût pour l'innovation, par exemple. Cette mesure, il est vrai, a provoqué un tollé. Mais ses détracteurs les plus éloquents ont fait de la surenchère. Ainsi, selon le journaliste Christophe Barbier, il ne fallait surtout pas supprimer l'épreuve de culture générale mais bien plutôt lui donner un *coup de jeune* en mettant au programme les jeux vidéo et la « culture des quartiers ». L'amour de l'Autre veille donc à ce que le présent ne sorte pas de soi. Et peu à peu s'efface, pour faire droit à la diversité, la contribution française à la diversité du monde.

Aucun écrivain ne figure au palmarès des personnalités préférées des Français publié, tous les six mois, par le *Journal du dimanche*. Et personne ne s'émeut. Personne ne s'interroge. Personne même ne remarque cette étrange absence dans un pays que Claudel, à l'époque où Curtius rédigeait son essai, présentait aux étudiants d'une université japonaise en disant que la littérature n'y était pas l'expression de quelques esprits exceptionnels mais « la nécessité de toute une race, la transaction ininterrompue entre ses différents versants, le moyen d'assimilation de tout problème nouveau qui lui était proposé ». Ce qui émerveille, en revanche, les apôtres de la nouvelle Marianne, c'est la pigmentation des heureux lauréats. Pour bien marquer l'unicité et l'irréductibilité de chaque être humain, l'antiracisme ancien était *color blind*. L'antiracisme contemporain, en revanche, s'aveugle à tout ce qui n'est pas la couleur de peau. Ses fidèles cultivent l'obsession de la race au sens physiologique que ce terme n'avait pas chez Claudel. Ils s'enorgueillissent d'avoir obtenu, après un long combat, la mise hors la loi du mot, ils jettent furieusement l'anathème sur ceux qui ont le front de l'employer encore et ils placent, dans le même temps, l'origine au-dessus de l'originalité et l'épiderme au-dessus de l'excellence. En 1998 déjà, ils rabattaient l'exploit sportif de l'équipe de France de football qui venait d'être sacrée championne du monde sur sa composition ethnique. En 2003, le journal *Le Monde* titrait sur cinq colonnes à la une : « Avec Alexandre Dumas, le métissage entre au Panthéon. » Le métissage et non *Les Trois Mousquetaires, Vingt ans après* ou *Le Comte de Monte-Cristo*. Ce n'était pas à ses chefs-d'œuvre que Dumas devait sa place dans la nécropole des Grands Hommes, c'était à la goutte de sang noir qui avait coulé dans ses veines. À l'hiver 2013, tous les commentateurs félicitent chaudement les Français d'avoir accordé leurs suffrages à un métis (l'ancien tennisman devenu chanteur de variétés, Yannick Noah), un Kabyle (le héros de 1998, Zinedine Zidane) et un Noir (le comédien Omar Sy, héros du film *Intouchables* qui romance l'histoire vraie d'un grand bourgeois tétraplégique progressivement régénéré par la vitalité exubérante d'un homme à tout faire venu de la banlieue). On célèbre en eux non la personnalité mais l'hérédité, non les individus mais les spécimens. Puis quand, dans un second moment, on s'intéresse à leurs prouesses, c'est, comme le sociologue Jean Viard, pour marquer le contraste entre la « créativité » de ces « marginaux » et le sinistre univers de la « reproduction sociale », celui des « parents blancs-normaux » qui poussent les « enfants blancs-normaux » à faire du latin et à intégrer les classes préparatoires.

Normal, on l'a compris, veut dire ici pathologique et anachronique. La norme est morne, la norme est triste, la norme est une tare en voie de disparition. Les « normaux », dans l'idiome de Jean Viard (et dans la vision de la bourgeoisie propagée par *Intouchables*), ce sont les vestiges livides du temps jadis, les reliques d'un pays englouti, les derniers témoins, compassés et condamnés, du monde dont Chateaubriand rédigeait déjà l'épitaphe dans les *Mémoires d'outre-tombe* : « Des peuplades de l'Orénoque n'existent plus ; il n'est resté de leur dialecte qu'une douzaine de mots prononcés dans la cime des arbres par des perroquets redevenus libres, comme la grive d'Agrippine gazouillait des mots grecs sur les balustrades des palais de Rome. Tel sera tôt ou tard le sort de nos jargons modernes, débris du grec et du latin. Quelque corbeau envolé de la cage du dernier curé franco-gaulois dira, du haut d'un rocher en ruine, à des peuples étrangers, nos successeurs : "Agréez les accents d'une voix qui vous fut connue : vous mettrez fin à tous ces discours." »

Prise en tenaille entre les remontrances des autres démocraties occidentales et la véhémence sans frontières des féministes radicales qui poussent la désérotisation des corps jusqu'à transformer leurs gorges dénudées en panneaux de propagande, la France défend encore, face au défi du voile islamique, la relation spécifique qu'elle a instaurée entre les hommes et les femmes. Mais la France pourra-t-elle rester longtemps une patrie féminine si elle n'est plus une patrie littéraire ? Or, elle a fait sienne la grande loi moderne formulée, dans les années soixante du XXe siècle, par Pierre Elliott Trudeau, le premier dirigeant multiculturaliste de l'État canadien : « Il faut avancer avec la caravane humaine ou crever dans le désert du temps. » La France avance donc, elle accélère même et, au nom de la diversité qu'elle place aussi haut désormais

que les trois grands vocables de la devise républicaine, elle se désencombre de ses morts, elle
abandonne son vieux jargon, elle sacrifie sans
hésiter le meilleur de son être à la révolution
technologique et à la lutte contre les discriminations. Cette liquidation quasi générale remet
à l'ordre du jour « le sentiment de tendresse
poignante pour une chose belle, précieuse, fragile et périssable » que Simone Weil appelait
patriotisme de compassion : « On peut aimer la
France pour la gloire qui semble lui assurer une
existence étendue au loin dans le temps, dans
le temps et dans l'espace. Ou bien on peut l'aimer comme une chose qui, étant terrestre, peut
être détruite, et dont le prix est d'autant plus
sensible. » Lévi-Strauss, quand il écrivait *Race et
culture*, était étreint par ce second amour.

La guerre des respects

Ce n'est ni dans un reportage journalistique ni dans l'enquête au long cours d'un sociologue de terrain que j'ai lu la description la plus juste de la crise actuelle du vivre-ensemble mais dans une page célèbre d'un vieux livre de philosophie, le *Léviathan* de Thomas Hobbes : « Les humains n'éprouvent aucun plaisir (mais plutôt un grand déplaisir) à demeurer en présence les uns des autres s'il n'y a pas de puissance capable de les tenir tous en respect. Car chacun cherche à s'assurer qu'il est évalué par son voisin au même prix qu'il s'évalue lui-même, et chaque fois qu'on le sous-estime, chacun s'efforce naturellement, dans la mesure où il l'ose, [...] d'obtenir par la force que ses contempteurs admettent qu'il a une plus grande valeur, et que les autres l'admettent par l'exemple. »

Telle est la grâce des auteurs classiques. L'histoire des idées voudrait en faire les momies d'une pensée ancienne, mais ils ne lui laissent pas le dernier mot. Ils fragilisent, en étant à la fois de leur temps et du nôtre, l'idée de progrès. Ils ne nous renseignent pas seulement sur ce que pensaient jadis les plus grands esprits, ils jettent sur le présent un éclairage infiniment précieux. Nous visitons le patrimoine, c'est-à-dire le musée des choses mortes, et soudain c'est un pan de notre vie et de notre monde qui surgit en pleine lumière. Nous allons à Hobbes pour Hobbes et voici que, sans prévenir, il met des mots sur ce qui nous arrive. Nous découvrons en le lisant que c'est encore lui qui nous lit et qui nous aide à comprendre que la violence caractéristique de la France du XXIᵉ siècle ne découle pas de la révolte contre les inégalités ou de la soif d'acquisition mais du désir d'être respecté, du sentiment de ne pas l'être, de la colère suscitée par une admonestation, une remarque, un regard de travers ou un regard tout court lorsqu'il faut manifester sa soumission. C'est, lors d'un match de football entre amateurs, l'arbitre roué de coups par le joueur auquel il a manqué de respect en le sanctionnant d'un carton rouge. C'est le mec qui a manqué de respect à ma sœur. Ce sont les policiers d'Amiens qui ont manqué de respect à un automobiliste engagé dans un sens interdit et qui ont payé cette provocation d'une nuit d'émeutes. C'est leur collègue de Corbeil-Essonnes qui dit « Calme-toi » à un adolescent virulent et qui s'entend répondre : « Tu me tutoies pas, tu me respectes ! » C'est l'assistant d'éducation agressé par une vingtaine d'enfants qui refusaient d'arrêter de jouer après la fin de la récréation parce qu'il a eu l'outrecuidance de reprendre le ballon. Ce sont les professeurs qui humilient, par leurs exigences et par leurs remontrances, les élèves dont le travail ne les satisfait pas. « J'ai encore en mémoire, écrit Véronique Bouzou qui enseigne le français en zone sensible, le visage d'un élève qui s'est avancé vers moi sa copie à la main, pour me demander sèchement : "C'est quoi cette vieille note que vous m'avez mise ?" Selon lui, la raison de la mauvaise note ne faisait aucun doute : c'était ma faute et pas la sienne. J'ai réussi à lui faire reconnaître sa mauvaise foi quand il a relu à haute voix sa copie totalement illisible. Mais je crains de plus en plus la réaction imprévisible des élèves qui prennent une mauvaise note pour un manque de respect et qui le font payer cher à leur prof. » Cette crainte devant la perception de la discipline normale de la classe comme un outrage ou comme une provocation est largement partagée. Cécile Ernst, professeur de sciences économiques et sociales, raconte qu'un élève de seconde qui ricanait à la moindre remarque et qui contestait ses notes, l'avait obligée à le sanctionner plus vertement. Pour le faire réfléchir, elle lui avait demandé d'écrire une page sur : « Qu'est-ce que l'excellence ? Qu'est-ce que la médiocrité ? » Réponse : « On ne doit jamais employer ces termes, on n'a pas le droit de juger les autres, et le médiocre, c'est justement celui qui porte des jugements... » Cette argumentation, ajoute l'enseignante, était émaillée de fautes d'orthographe et d'accord en tous genres : « Celui qui pense sa, ils manque de respect à sont élève. » L'élève en question est fâché avec l'orthographe (sauf pour « respect », un mot qui n'a pas de secret pour lui), mais, en totale harmonie avec son époque, il recourt habilement à l'argument relativiste du « tout se vaut » pour mettre en demeure celle qui est censée lui apporter la connaissance et mesurer ses progrès, de l'évaluer au prix qu'il s'évalue lui-même.

Hobbes a écrit le *Léviathan* dans une Europe ravagée par les guerres civiles. Il a vu à l'œuvre, en deçà des schismes religieux ou des antagonismes idéologiques, trois causes principales de conflit : la compétition, la défiance, la gloire. « La première, écrit Hobbes, pousse les hommes à attaquer pour le profit, la seconde pour la sécurité et la troisième pour la réputation. Dans le premier cas, ils utilisent la violence pour se rendre maîtres de la personne d'autres hommes, femmes, enfants, et du bétail ; dans le second, pour les défendre ; dans le troisième, pour des détails, comme un mot, un sourire, une opinion différente et tout autre signe qui les sous-estime, soit directement dans leur personne, soit, par contrecoup, dans leur parenté, leurs amis, leur nation, leur profession ou leur nom. » Confronté à ce déchaînement, Hobbes a pensé la politique comme un moyen de civiliser le vivre-ensemble. Il nous a légué l'idée que l'État procède non de la volonté divine mais de la volonté toute humaine de ne plus voir la vie perpétuellement exposée à l'aléa des mauvaises rencontres. C'est un pacte de non-agression mutuelle qui engendre le pouvoir souverain et qui d'une multitude éruptive fait une cité paisible. Ce pacte, on peut l'appeler, avec Renaud Camus, pacte d'*in-nocence*. Chaque signataire virtuel renonce, en effet, à sa *nocence* originelle, c'est-à-dire à la liberté qui est en lui de nuire, de déranger, d'importuner, d'attenter à la liberté de tous les autres. Les autres font de même, ce qui lui garantit la tranquillité et la sécurité nécessaires pour aller jusqu'au bout de ce qu'il peut.

Il y a là, très clairement, un calcul égoïste. Le pacte hobbesien d'in-nocence repose sur « la conviction [...] que toutes les parties gagnent au change et que le *plus* qui échoit à tous est infiniment plus précieux que le *moins* dont tous se sont dépouillés ». Mais le sacrifice de son bon plaisir n'est pas uniquement décidé par l'inté-rêt. La raison pratique à l'œuvre dans une telle décision ne se confond pas avec la raison instru-mentale. Elle n'est pas réductible à la mise en application de cette loi universelle de la nature qui stipule, nous dit, après Hobbes, Spinoza, que « nul ne renonce à ce qu'il estime être un bien, sauf dans l'espoir d'un bien plus considé-rable encore ». Un second motif intervient qui marque la différence entre les hommes et les autres réalités naturelles : le respect. Le respect nous inhibe. Le respect nous tient en respect et nous interdit d'envahir le monde comme une « force qui va ». Le respect, c'est-à-dire, écrit Kant, « une maxime de restriction, par la dignité de l'humanité en une autre personne, de notre estime de nous-même ».

Devant la montée des comportements péremptoires ou violents regroupés sous le doux euphémisme d'*incivilités*, on en appelle de tous côtés au respect. Même *Libération*, le journal français issu de l'esprit de 68, se joint au concert. Cet esprit pourtant n'incitait pas à nouer avec les autres un pacte d'in-nocence, mais à retrouver l'innocence et la turbulence des pulsions primordiales. Toute restriction du moi était perçue comme une *répression* exercée à son encontre. On jurait donc de briser les chaînes et, selon l'expression consacrée par l'esprit du temps, de « ne pas céder sur son désir ». C'était cela la libération qui a donné son nom au premier quotidien générationnel. Or, voici que ce même quotidien organise à Rennes (c'était en avril 2011) un grand forum national autour du thème « Respect, un nouveau contrat social », avec, sur le programme, cette stupéfiante observation : « Il faut être coupé des réalités pour ne pas voir que le lien social s'est étiolé, que nous ne savons plus dire bonjour, accepter l'autre dans sa différence et qu'à force d'accepter cette accumulation de petites indifférences, on se retrouve un jour avec une énorme masse d'incivilités qui débouche sur une société de plus en plus individualiste, violente, dans laquelle l'avidité a tendance à supplanter la fraternité. » Ironie de l'histoire : les mêmes qui ont cru pouvoir opposer aux contraintes de la civilité les joies de la spontanéité, et qui se flattent toujours d'être assez *cool* pour se passer des codes, observent avec effroi les progrès de la *nocence*. Leur diagnostic est irréfutable et le détour par Hobbes permet de l'affiner encore. Le respect n'est pas en butte à l'irrespect, à la muflerie ou à un autre de ses antonymes, mais à un homonyme gonflé d'ardeur et d'importance. Et toute la question est de savoir ce qui va l'emporter du respect au sens défini par Kant de « restriction de l'estime de soi-même » ou du respect au sens dénoncé par Hobbes de « volonté manifestée par chacun d'être évalué par son voisin au prix qu'il s'évalue lui-même ». Deux régimes de respect se disputent aujourd'hui notre vivre-ensemble.

Hobbes, cependant, doit être corrigé sur un point et ce point est capital. L'actuelle guerre des respects n'oppose pas l'homme dans l'état de nature à l'homme social, elle révèle un véritable choc des civilisations. Irascible virilité d'un côté ; de l'autre, mœurs adoucies par ce que l'écrivain américain Thornton Wilder appelait joliment naguère *an undertone of respectful flirtation between every man and woman in France.* Jean-François Chemain, professeur d'histoire, de géographie et d'instruction civique dans un collège de banlieue parisienne, raconte ainsi que, lors d'un cours de « sensibilisation à la violence », les élèves se sont vu présenter la photographie d'un groupe d'adolescents en train de rouer de coups de poing et de pied un plus petit qu'eux. Invité à commenter cette image, l'auditoire reste muet. L'animateur s'étonne : « Et alors, vous ne réagissez pas ? » Il s'impatiente : « Il n'y a rien qui vous choque ? » Enfin, Hameur semblant parler au nom des autres garçons de la classe, brise le silence : « S'ils se mettent à plusieurs pour le frapper, c'est sûrement qu'il l'avait bien cherché ! — Comment ça, "bien cherché" ? — Ben ouais, il a dû leur manquer de respect, et c'est pour ça qu'ils le tapent, sinon pourquoi ils le feraient ? » Et Suvayip, un autre élève, renchérit : « Quand un garçon se fait taper, c'est généralement qu'il a manqué de respect. Si c'est une fille, c'est qu'elle a fait la belle. Y a rien de choquant là-dedans. On voit pas pourquoi vous venez nous parler de ça. »

Avec son diaporama, l'animateur croyait toucher, en deçà des différences, le cœur des collégiens. La classe était hétérogène, il en appelait à la sensibilité commune pour dénoncer avec lui le tabassage en réunion. Mais son attente se révèle illusoire : le cœur du public bat pour la bande et non pour sa victime. Ainsi meurt l'espoir de voir des individus séparés par leurs origines, leurs croyances, leurs manières d'être et de faire s'entendre autour d'une définition universelle du mal. Rien ne fait plus lien, ni le modèle idéal de la vie bonne ni même ce qui apparaissait à Rousseau comme la répugnance *innée* à voir souffrir son semblable.

Au lendemain d'une nuit d'émeutes, une journaliste du *Monde* s'est rendue à Amiens-Nord. Elle a observé la triste enfilade des immeubles gris, des antennes paraboliques accrochées aux façades, les rares magasins qui mettaient un peu d'animation, et ce qui l'a le plus frappée, c'est que « les femmes étaient désespérément absentes du paysage ». Une phrase et tout est dit : l'ennui abyssal et la susceptibilité à fleur de peau, qui sont le lot des quartiers d'Amiens-Nord, découlent de cette absence désespérante pour ceux-là mêmes qui s'en font les gardiens. « Ils tiennent les murs et quand ils les lâchent, c'est pour jouer à la Play-Station », disait un enquêteur sur les « jeunes » d'Échirolles quelques heures après l'expédition punitive qui, suite à un « mauvais regard », a fait deux morts dans cette cité de l'agglomération grenobloise. À vouloir expliquer ce genre d'événements par le chômage, l'exclusion ou les brutalités policières, on ne se donne pas les moyens de les prévenir, on leur fournit gracieusement un alibi.

Mais la remarque cruciale de la journaliste du *Monde* est faite en passant. Elle glisse, mélancolique et furtive, sans qu'aucune conclusion en soit tirée. Et il ne pouvait en être autrement : on est tenu aujourd'hui de parler de la diversité avec enthousiasme. Il s'agit à la fois de la glorifier sans cesse et de ne jamais la voir à l'œuvre. Dans le même temps où l'on affirme son importance, on lui dénie toute incidence. Les sciences sociales qui la défendent avec passion en défendent aussi passionnément l'accès. La diversité, répètent-elles, ce n'est pas un problème, c'est une aubaine. Les problèmes, quand ils surgissent, viennent de son rejet. L'époque, en d'autres termes, exige de faire leur place aux cultures étrangères, mais il est, dans le même temps, formellement interdit de procéder à une lecture ethnologique des affects comme, par exemple, le sentiment d'*humiliation*. Les « dominés » ont toutes les raisons de se sentir humiliés et d'exprimer leur rage, même si celle-ci peut prendre parfois des formes regrettables. Le passé colonial et les inégalités économiques présentes sont à la source des comportements déviants ou violents, ainsi convient-il de penser. Gloire donc aux différences, mais maudits soient ceux qui les prennent au sérieux ! Vive la diversité culturelle, mais honte au regard sur le monde actuel qui s'aviserait d'en tenir compte ! L'éloge est obligatoire, la perception frappée d'indignité. Car il ne faut surtout pas que la connaissance des autres compromette en quoi que ce soit l'idéalisation romantique de l'altérité. La réalité est censurée pour que la vitrine demeure immaculée. Tous ceux qui osent enfreindre la sacro-sainte règle métho-dologique du traitement social des questions ethno-religieuses tombent en disgrâce et voient leur nom s'inscrire, séance tenante, sur la liste noire du *politiquement correct.*

Arrêtons-nous un instant sur cette expres-sion, et tâchons de la définir. Le politiquement correct, c'est le conformisme idéologique de notre temps. La démocratie, en effet, c'est-à-dire le droit de tous à la parole, produit du conformisme. Tocqueville, le premier, a mis en lumière la logique de ce phénomène paradoxal : « Lorsque les conditions sont inégales et les hommes dissemblables, il y a quelques individus très éclairés, très savants, très puissants par leur intelligence et une multitude très ignorante et très bornée. Les gens qui vivent dans les siècles d'aristocratie sont donc naturellement portés à prendre pour guide de leurs opinions la raison supérieure d'un homme ou d'une classe, tandis qu'ils sont peu disposés à reconnaître l'infaillibilité de la masse. Le contraire arrive dans les siècles d'égalité. » Les hommes alors sont rétifs à l'idée même d'une raison supérieure car, pour eux, le bon sens est la chose du monde la mieux partagée. Est-ce à dire qu'ils font vraiment usage du leur ? Non, répond Tocqueville : ils pensent comme on pense, ils se déchargent du soin de juger les autres, sur la masse indistincte, car « il ne leur paraît pas vraisemblable que, tous ayant des lumières pareilles, la vérité ne se rencontre pas du côté du grand nombre ». Dans les temps démocratiques, toutes les autorités deviennent suspectes, sauf l'autorité de l'opinion. Il n'est aucun pouvoir que la société ne conteste, sinon précisément le pouvoir social. Ce pouvoir s'exerce avec une efficacité d'autant plus redoutable qu'il n'est pas ressenti comme tel par ses sujets. Affranchi de la tradition et de la transcendance, l'homme démocratique pense comme tout le monde en croyant penser par lui-même. Il ne se contente pas d'adhérer au jugement du public, il l'épouse jusqu'à ne plus pouvoir le discerner du sien propre. Il ne sacrifie pas la sincérité à l'idéologie dominante, il est tout à la fois sincère et docile, individualiste et suiviste, authentique et opportuniste, grondeur et grégaire. Ses engouements, ses aversions, ses convictions, ses indignations mêmes reflètent l'esprit du temps, et c'est bien au chaud dans la *doxa* du jour qu'il déboulonne les idées moribondes et qu'il mène contre les tabous chancelants une guerre impitoyable.

Tocqueville ne regrette pas les siècles aristocratiques. La liberté comme droit égal lui apparaît plus juste — il le dit expressément — que la liberté comme privilège. Mais il ne se résigne pas à voir l'égalité mettre l'esprit sous tutelle. Il ne veut pas choisir entre l'emprise insidieuse de tous et l'empire manifeste d'un seul ou de quelques-uns : « Quand je sens la main du pouvoir qui s'appesantit sur mon front, il m'importe peu de savoir qui m'opprime et je ne suis pas mieux disposé à passer ma tête sous le joug parce qu'un millier de bras me le présentent. » Cette main est devenue plus lourde encore avec l'avènement des *mass media.* Comment dès lors ne pas souscrire à l'analyse de Tocqueville ? Comment ne pas admirer sa clairvoyance prémonitoire ? *De la démocratie en Amérique* est le livre d'un visionnaire et pourtant il est impossible aujourd'hui d'opposer à l'opinion majoritaire régnante la même réponse, fière et tranchante, que son auteur. On l'a vu et il faut y revenir, car nous sommes au rouet : le politiquement correct n'est pas n'importe quelle idéologie dominante. Il est l'enfant du « Plus jamais ça ! » et s'assigne cette mission salutaire : juguler les passions criminelles. Toutes les précautions qu'il prend dans l'approche et la formulation des problèmes visent à empêcher le génie de l'intolérance de sortir de la bouteille. On ne vient pas au politiquement correct pour faire comme tout le monde ou — conformisme de l'anticonformisme — pour « se séparer de la masse comme *on* s'en sépare », mais parce que le passé nous hante et pour éviter le retour du *politiquement abject.* C'est la hantise de tous qui fait aujourd'hui pression sur l'intelligence de chacun. Et cette hantise est légitime. Elle est même indispensable. Nous avons peur de notre ombre et nous avons raison. Il ne faut jamais oublier que les dreyfusards étaient minoritaires dans la France du XIXᵉ siècle. Qui nous dit que leur victoire est définitive ? Qui nous dit que, dans un contexte de crise économique, de désindustrialisation massive, de chômage chronique, de circulation affolante des marchandises, des capitaux et des personnes, les héritiers du dreyfusisme ne seront pas violemment balayés ? Qui nous dit que, faute de pouvoir agir sur les processus en cours, la majorité ne trouvera pas, dans la désignation de boucs émissaires, un exutoire à son angoisse et un moyen de refaire l'unité du corps social ? Qui nous dit, enfin, que nous sommes nous-mêmes immunisés et que les irréprochables docteurs Jekyll d'aujourd'hui ne se révéleront pas, dans les sombres temps à venir, de redoutables misters Hyde ? La cohésion peut à nouveau reposer sur le pire. Le sentiment d'être ensemble et de former non un triste agrégat sans âme mais une communauté vivante peut se reconstituer face à l'immigré perçu comme un envahisseur, érigé en ennemi et affligé de toutes les tares. « Quand on n'a pas de prise sur les choses, on se venge sur l'Autre », écrit justement Jean Daniel, et c'est déjà le cas en Grèce où les adhérents du parti qui a choisi le nom étrangement poétique d'Aube dorée répondent à la crise, c'est-à-dire à l'effondrement vertigineux du niveau de vie, par des attaques parfois meurtrières contre les travailleurs clandestins. Parmi les dix-huit députés d'Aube dorée au parlement d'Athènes, il y a le bassiste du groupe punk Pogrom. Rien de tel dans les autres pays européens. Mais comme c'est à tous que la mondialisation économique et migratoire fait perdre leur prise sur les choses, aucun ne peut se dire à l'abri d'un tel phénomène.

Le ventre est donc encore fécond et Hannah Arendt avait raison de dire, dans une lettre à Gershom Scholem : « La transformation d'un peuple en horde raciale est un péril permanent à notre époque. » Ce péril, il ne suffit pas pour y échapper de proscrire à jamais l'emploi du mot « race » dans le discours public. Celui de « culture » peut remplir la même fonction funeste en rivant les êtres à leur appartenance et en absolutisant les différences collectives. C'est la raison pour laquelle ses utilisateurs les plus enthousiastes sont aussi les plus empressés à lui dénier toute portée explicative. Ils veulent remédier à l'arrogance congénitale de leur civilisation en faisant l'apologie de la diversité culturelle, mais ils sont très soucieux, dans le même temps, d'éviter la chute dans l'essentialisme et de ne pas cautionner l'éclatement de l'humanité en totalités irréconciliables. On comprend leur scrupule. Il est même impératif, à l'heure où certains sont enclins à faire payer tous les musulmans pour le radicalisme islamique, de le partager. Mais voici le cas d'un élève transféré en cours d'année d'un établissement privé dans un collège de l'Essonne. Respectueux sans être obséquieux, appliqué sans tomber dans la servilité, il fait ses devoirs, apprend régulièrement ses leçons, accepte de répondre, se porte volontaire pour faire des exposés. Cette attitude positive inquiète l'équipe enseignante car elle ne peut qu'exaspérer le reste de la classe. Et cela ne manque pas d'arriver : très vite, nous dit son professeur de français, l'élève zélé est victime d'une discrimination sociale, culturelle, raciale et religieuse. On l'accable de surnoms : « le Français », le « blanc-bec », « l'intello ». Dans la cour, on l'interpelle : « Tu manges du porc, tu es un porc. » Autre exemple : un père de famille demande aux puéricultrices de la crèche de Chanteloup-les-Vignes où il dépose son enfant de réveiller celui-ci après une heure de sieste, au motif que, s'il dort plus la journée, il est intenable. Comme son souhait n'est pas exaucé, le père s'emporte : il traite l'une des employées de « sale Blanche » et il exige de voir le personnel musulman. Les cas de ce genre mais aussi les agressions contre les professeurs, contre les pompiers, contre les pharmaciens, contre les médecins, contre les infirmiers et contre les Juifs visibles se multiplient dans les *territoires perdus de la République* et ils ne sauraient être passés sous silence ni enrôlés derrière la bannière sacrée de la révolte des damnés de la terre. Péguy : « Il faut toujours dire ce que l'on voit. Surtout il faut toujours, ce qui est le plus difficile, voir ce que l'on voit. » Voir ce que l'on voit, en l'occurrence, c'est voir l'histoire *ne pas* se reproduire quand on est fin prêt pour la deuxième édition ; c'est voir le mal là où il est et même s'il ne correspond pas à son signalement ; c'est voir la haine de la France se conjuguer avec la haine des Juifs alors que, tirant les leçons du siècle écoulé, on a fondé sa pensée et son action sur la solidarité destinale de toutes les victimes de l'« idéologie française ».

La tautologie est donc trompeuse. Voir ce que l'on voit ne va pas de soi, car, comme le dit Saul Bellow en écho à Péguy : « Une grande quantité d'intelligence peut être investie dans l'ignorance lorsque le besoin d'illusion est profond. » Et ce ne sont ni des idiots ni des méchants mais des hommes et des femmes de bonne volonté qui ont besoin de croire que la scélératesse a une seule adresse, le racisme un seul visage, les événements un seul paradigme et que nous sommes tous des Juifs allemands, des Noirs, des Arabes, des réfugiés et des clandestins. Sans la grande illusion du *même combat contre le même ennemi*, ils seraient perdus, ils n'auraient plus l'énergie qu'il faut pour s'engager. Le souci d'autrui, en eux, céderait le pas au découragement puis à l'indifférence. Reste à savoir si le prix à payer pour la fidélité à l'idéal doit être, chaque fois, l'abrogation du monde réel. Le Juste reste-t-il juste, une fois délié du Vrai ? Qu'y a-t-il de vertueux dans une morale qui ne s'astreint plus au devoir de clairvoyance ? Où est la supériorité éthique et politique de ceux que rien jamais ne vient ébranler ou inquiéter car ils rabattent systématiquement les nouvelles fractures de la société sur les figures familières de la détestation de l'étranger ou de la lutte des classes ? Est-ce bien une qualité pour l'esprit que de rester imperturbable quand l'histoire sort de ses gonds ? « Dire la vérité, toute la vérité, rien que la vérité, dire bêtement la vérité bête, ennuyeusement la vérité ennuyeuse, tristement la vérité triste », disait aussi Péguy dans le premier numéro des *Cahiers de la quinzaine*. Même avec les meilleures intentions progressistes, même pour prévenir toute généralisation stigmatisante, on ne saurait s'exonérer de cette rectitude. Sacrifier la vérité afin de ne pas nourrir la bête, cela revient à nourrir la bête en lui faisant le cadeau de la vérité. Il y a une autre alternative au politiquement correct que le politiquement abject, une autre option, face aux pieux escamotages de la désinformation, que la démagogie des partis d'extrême droite, une autre réponse que la bien-pensance à toutes les aubes dorées de la pensée mauvaise. Lévi-Strauss, on l'a vu, peut nous aider à sortir de ce tête-à-tête fatal entre le déni et l'infamie. « Le racisme est une doctrine qui prétend voir dans les caractères intellectuels et moraux attribués à un ensemble d'individus, de quelque façon qu'on le définisse, l'effet nécessaire d'un commun patrimoine génétique. » Cette doctrine ne mérite aucune indulgence. Elle est fausse, elle s'est révélée criminelle et on ne saurait plaider en sa faveur des circonstances atténuantes. Mais, du fait même de son énormité, l'honnêteté commande de *ne pas la mettre à toutes les sauces*. Elle ne doit pas être confondue avec « l'attitude d'individus ou de groupes que la fidélité à certaines valeurs rendent totalement ou partiellement aveugles à d'autres valeurs ». On ne peut donc, sans faire violence au présent comme au passé, déduire de l'interdiction du hidjab dans les établissements scolaires et de la burqa dans l'espace public, que les stéréotypes judéophobes ont été transférés sur une nouvelle figure et nourrissent au XXIe siècle l'islamophobie. *A fortiori* faut-il se garder d'interpréter le sentiment antifrançais qui se répand en France comme une réaction de légitime défense à l'exclusion, et l'antisémitisme qui, de plus en plus fréquemment, l'accompagne comme une riposte malheureuse ou, pour parler la langue d'Alain Badiou, « une hostilité politique mal politisée » au scandale bien réel de l'oppression par Israël du peuple palestinien. Et cela ne vaut pas seulement pour la France. Un ancien dirigeant du parti social-démocrate néerlandais, Felix Rottenberg, remarque très pertinemment que « les sentiments de culpabilité de la génération d'après-guerre eurent une énorme influence sur la pensée politiquement correcte ». Ceux dont les parents avaient laissé le mal triompher en regardant ailleurs ont promis d'*ouvrir les yeux* et de ne jamais transiger avec la haine de l'Autre. *L'Autre haineux* n'était pas inscrit au programme. Que font-ils alors quand celui-ci en vient à se découvrir ? Ils font comme les générations précédentes, constate Ian Buruma dans un essai sur l'assassinat par un islamiste du cinéaste Theo Van Gogh : ils regardent, tant qu'ils peuvent, ailleurs ou bien ils s'efforcent de remonter aux *causes sociales* de la violence et lorsqu'ils n'y arrivent pas, lorsque l'ennemi déclaré ne se laisse pas réduire à un chômeur aux abois ou à un opprimé en colère, ils en font un psychopathe, ils réagissent à ses crimes doctrinaux par une mise en garde solennelle contre tout amalgame et ils se hâtent de retourner aux affaires courantes. Mais comme, à la différence de leurs minables aînés, ils se sentent investis d'une haute mission morale — pourfendre les vieux démons —, ils ne se contentent pas de frapper d'inexistence ou d'insignifiance la réalité rebelle à leur définition du pire : nonobstant Lévi-Strauss, ils déchaînent les foudres de l'antiracisme sur tous ceux qui prétendent en tenir compte. Ce châtiment incite à se tenir à carreau : personne ne peut souhaiter porter à vie la marque des hommes infâmes. Il faut pourtant accepter de courir ce risque. Il importe au plus haut point de ne pas flancher, car c'est l'intelligence de notre présent qui est en jeu. « Une civilisation qui oublie son passé est condamnée à le revivre », disait, au début du XXᵉ siècle, le philosophe américain George Santayana et Theodor Adorno, après la césure hitlérienne, édictait ce nouvel impératif catégorique : « Penser et agir en sorte qu'Auschwitz ne se répète pas, que rien de semblable n'arrive. » Les deux propositions sont irrécusables. Mais force est de constater aujourd'hui qu'en cultivant la hantise de ses heures les plus noires, notre civilisation esquive obstinément le destin qui lui échoit. À se souvenir d'abord, à se souvenir toujours, on oublie que le présent est, comme nous en avertit Valéry, « l'état même des choses *en tant qu'il ne s'est jamais présenté jusque-là* ».

L'état des choses, cependant, ne se caractérise pas seulement par le défi des nouvelles susceptibilités à l'*ethos* national et par un antiracisme qui n'est plus le refus intraitable du racisme mais un combat acharné contre la réalité et contre ses émissaires. Le destin qui nous échoit résulte aussi de la force qui nous entraîne. Les chapitres précédents l'ont déjà fait apparaître : notre civilisation n'est pas innocente des menaces qui pèsent sur elle ; ses passions, ses travers mais aussi ses valeurs y ont leur part. On manque à la vigilance si on néglige cette implication. Soyons donc vigilants et commençons, pour cela, par un retour aux sources.

L'homme étant par nature, à leurs yeux, un animal politique, les Grecs n'avaient nul besoin, pour penser la société, de l'idée de contrat social. Mais, sous le nom d'*aidos*, ils plaçaient la restriction de l'estime de soi-même au fondement de ce que nous appelons aujourd'hui le vivre-ensemble. L'*aidos*, c'est la réserve, la modestie, la pudeur qui naissent, en nous, de l'intériorisation du regard des autres. À l'enfant encore *alogique*, l'*aidos* permet de recevoir l'empreinte de la transmission et d'accéder ainsi au *logos*. Comme le montre Solange Vergnières dans un très beau commentaire d'Aristote : « L'enfant qui a le sens de la pudeur n'est pas seulement l'esclave de ses convoitises et de ses peurs, il se situe dans l'orbe de la société des hommes, il est soucieux de l'image visible qu'il donne de lui-même et c'est pourquoi il écoute ce qu'on lui dit. »

On trouve un répondant juif de cette disposition respectueuse dans la pensée rabbinique de l'étude. « Sans crainte, point de sagesse », disent précisément les maîtres. Un grand talmudiste du début du XIXe siècle, heureusement exhumé par Benjamin Gross et Emmanuel Levinas, Rabbi Haïm de Volozine, ajoute ce commentaire merveilleux : « L'écriture compare la Torah aux produits de la récolte, et la crainte de Dieu à une grange dans laquelle ces produits sont entassés et conservés. La crainte de Dieu est la grange dans laquelle la sagesse de la Torah se conserve. Si on ne prend pas soin au préalable de préparer la grange de la crainte, l'abondante moisson de la Torah gît à même le sol, exposée aux piétinements du bœuf et de l'âne, et s'abîme. »

La modernité qui est l'âge de l'autonomie, c'est-à-dire du courage de penser par soi-même, n'en a pas pour autant fini avec la maxime des Sages. Les Modernes ne sont plus des craignant-Dieu, mais sans crainte, point de culture. On aborde modestement et pieusement les œuvres du patrimoine. Ces œuvres en imposent. Nos maîtres, nos pères, nos devanciers en font l'éloge et nous leur faisons confiance. Qu'est-ce qu'un classique, en effet ? C'est un livre dont l'aura est antérieure à la lecture. Nous n'avons pas peur qu'il ne nous déçoive mais que nous ne le décevions en n'étant pas à la hauteur. Nous admirons avant de comprendre et, si nous comprenons, c'est parce que l'admiration a tenu bon et forcé tous les obstacles. L'*a priori*, en l'occurrence, n'est pas un préjugé, c'est une condition de l'intelligence. Ainsi s'opère la transmission de la culture, ainsi découvre-t-on *L'Énéide, Le Roi Lear* ou *À la recherche du temps perdu*.

Cette crainte à laquelle les Temps modernes

avaient su faire une place est aujourd'hui caduque. Et l'éducation, pour la première fois de son histoire, ne peut plus compter sur l'*aidos*. Alors que le narrateur de *L'Irrévolution* se plaignait d'avoir des élèves « fort propres, fort polis et fort convenables » qui se levaient de leurs sièges quand il entrait dans la classe et qui l'appelaient « Monsieur », c'est la plainte ou, plus exactement, la stupeur inverse qui se fait entendre de toutes parts. Je citerai trois exemples. Aymeric Patricot, *Autoportrait du professeur en territoire difficile* : « Trente enfants qui ne craignent pas l'autorité parce qu'ils ne savent tout simplement pas ce que c'est. Trente enfants dont le plus grand plaisir est la provocation, l'agressivité, le chahut. [...] Comment voulez-vous les tenir lorsqu'ils bavardent en chœur et qu'ils refusent de répondre aux injonctions même discrètes autrement que par des formules aussi lapidaires que "Lâche-moi" pour les plus distinguées. » Iannis Roder, *Tableau noir. La défaite de l'école* : « Liée au dynamisme, la spontanéité est mise en avant comme une qualité. Oui, ils sont difficiles, mais ils sont dynamiques et spontanés. Ce cliché de la spontanéité doit être également interrogé. » En effet, observe le professeur, avec l'abolition de la censure, ce n'est pas la créativité de chacun qui triomphe, c'est l'impudeur de tous : « "Monsieur, j'ai envie de faire caca", "j'ai la diarrhée, il faut que j'aille aux toilettes".

Cette absence de retenue est complétée par une absence de hiérarchisation non seulement dans le langage mais aussi dans les rapports humains. On s'adresse à son prof comme on s'adresse à ses copains. Tout le monde est placé au même niveau comme les niveaux de langue sont inconnus. » Mara Goyet, enfin, *Tombeau pour le collège* : « Parfois les cours ressemblent à des sortes d'orgies physiologiques : manger, aller aux toilettes, prendre une sucette, aller à l'infirmerie, se balancer, être affalé sur sa chaise, renifler, tousser, bâiller, parfois péter, parler, parler, commenter : "Tiens, un avion ; eh j'ai plus d'encre ; on a français à 14 heures ; où j'ai mis mon crayon ?", sentir, toucher. Le corps, ce grand oublié des classes sagement assises et silencieuses, revient au galop. Cette propension à mâcher, sucer, cracher, déglutir, parler est terriblement troublante à observer. »

Il y a des élèves, on l'a vu, qui refusent d'étudier *Tartuffe* et qui se sentent outragés par l'histoire quand celle-ci ose se faire nationale. Un autre phénomène est ici à l'œuvre plus inquiétant encore car, à la fois, plus élémentaire et plus fondamental : la disparition de l'*aidos* et la grande invasion des corps. L'*aidos* s'efface, les corps se lâchent. Ce phénomène est certes paroxystique dans les quartiers « sensibles », mais il n'y est pas cantonné. Mara Goyet, qui a été mutée dans le centre de Paris après avoir enseigné quinze ans en banlieue, constate que là aussi le bavardage est un fléau qu'il faut endiguer sans cesse. D'où le titre démoralisant du livre qu'elle a tiré de sa dernière expérience en date : *Collège brutal*. « Chacun le sait, écrit-elle, c'est de notoriété publique, ça fuit de partout. »

Mais alors, que faire ? Renouant avec l'inspiration des fondateurs de l'école républicaine, le gouvernement français a pris la décision d'inscrire la morale laïque au programme de l'école primaire et du second degré. Cette morale qui était destinée à combattre l'influence du catéchisme avait piteusement quitté la scène sous les huées de la morale libertaire et sous les sarcasmes de la critique sociale. Si, en effet, le mal humain s'explique tout entier par l'oppression, si, à l'origine de tous les crimes, il y a l'injustice criminelle de la société, alors on doit faire de la politique et changer le système pour que la société change et non faire la morale et blâmer les malheureux pour l'ignominie du système. Cette critique est devenue vulgate. Elle façonne l'esprit de notre temps et sert de justification automatique à toutes les violations des règles du vivre-ensemble. Injures, agressions, déprédations, trafic, racket, vacarme : sociologues assidus de leurs propres turpitudes, les coupables se présentent comme des victimes et ils s'étonnent

qu'on puisse vouloir leur dénier ou leur dis-
puter cette qualité aussi véhémentement que
Rousseau quand il accuse les riches de l'avoir
contraint, en lui volant le pain de ses enfants,
à mettre ceux-ci aux Enfants-Trouvés. Avec une
expertise de chercheurs du CNRS, ils diluent
le concept de faute dans celui de *difficulté* et
transfèrent à la société, c'est-à-dire, en l'occurrence, au racisme, à l'inégalité des chances, aux
promesses non tenues de l'État-providence ou
aux bavures de l'État policier, la responsabilité des méfaits qu'ils commettent. C'est cette
bonne conscience dans l'incivilité qui provoque
le retour de la morale laïque à l'école. Devant
l'alibi offert par la critique sociale à l'ensauva-
gement du monde, on redécouvre le principe
antirousseauiste du socialiste Orwell : « Il y a des
choses qui ne se font pas », quelles que soient
les circonstances. Avec la morale laïque, l'éducation nationale ne ranime pas la guerre des
deux France, elle fait face à la crise de l'*aidos*
et elle répond au sociologisme diffus de la *doxa*
adolescente par la constitution de la *décence commune* en matière d'enseignement. Aux élèves,
cette morale rappellera qu'ils ne sont pas seulement des ayants droit, qu'ils n'ont pas que des
créances à faire valoir, mais aussi des obligations
à remplir et une *dette* à acquitter envers le travail des ancêtres, des avantages de la civilisation,
des institutions républicaines. Elle leur appren-

dra également à répondre de leurs actes et à distinguer, en s'éveillant à la réalité d'autrui, la liberté du bon plaisir.

L'initiative est louable. Mais elle est vouée à l'échec car elle entre en contradiction avec ce que veut et ce que fait par ailleurs l'école. Ces jeunes qu'il s'agit de former au respect, c'est elle, on l'a vu, qui, dans un grand élan démocratique, les a dispensés d'*aidos*, en les accueillant précisément comme des jeunes, c'est-à-dire non comme des êtres inachevés mais comme des sujets souverains, et en choisissant, par respect pour eux, de faire une place sans cesse croissante à leurs exigences, à leurs préférences et à leurs impatiences. Ce n'est plus aux élèves désormais que l'institution scolaire prescrit d'en rabattre de leurs prétentions et de prêter l'oreille, c'est aux maîtres. Leur ministre de tutelle, à la fin du siècle dernier, avait été clair : « Il y a dans l'enseignement une tendance archaïque que l'on peut résumer ainsi : ils n'ont qu'à m'écouter, c'est moi qui sais. Sauf que c'est fini. Les jeunes et même les très jeunes n'en veulent plus. Ce qu'ils veulent, c'est interréagir. » Grâce aux nouvelles technologies, la volonté des enfants et des adolescents sera bientôt faite ; le tout numérique est en passe d'abolir cette ultime forme de servage : le cours magistral. Et quand on lui demande si le réarmement moral de l'école n'implique pas que les élèves se lèvent lorsque le professeur entre dans la classe, Vincent Peillon, l'actuel ministre de l'Éducation nationale, répond, aussi catégoriquement que Claude Allègre : « Ce n'est pas le sujet. Il ne faut pas confondre morale laïque et ordre moral. » Relèvent, autrement dit, de l'ordre moral, toutes les dispositions et toutes les actions qui contreviennent à l'essentielle égalité entre les êtres. Personne, à l'école, ne se lève, plus personne ne s'incline devant rien. Dans le même temps qu'elle promeut le respect, la démocratie proscrit la transcendance, et l'institution obtempère.

Camille Laurens raconte, dans l'un de ses livres *(Dans ces bras-là)*, la mésaventure cauchemardesque subie par son mari, professeur d'anglais en zone d'éducation prioritaire. Un jour comme les autres, il rentre chez lui, il enlève son imperméable, et c'est elle qui aperçoit sur le dos de sa veste des taches d'encre bleues et noires. Il doit alors se rendre à l'évidence : « Ses élèves ont trouvé ce moyen simple et silencieux de s'amuser : lorsqu'il écrit au tableau ou passe dans les rangs pour les aider individuellement, d'un mouvement sec du poignet ils projettent dans son dos, comme au jeu de fléchettes, un jet de leur stylo plume. » Le lendemain, il fait une mise au point devant la classe : il parle

« du respect de l'autre, il dit qu'il ne faut pas salir l'autre jamais, d'aucune manière ». Il est entendu, mais il n'est pas écouté. Le petit jeu continue comme avant car — voici son crime — il est tiré à quatre épingles. Il ose, sous le règne sans partage de la décontraction, s'habiller avec recherche. Au lieu d'endosser l'uniforme mou — jean et tee-shirt — que portent ses élèves et la plupart des enseignants, il croit bon de venir au collège avec des costumes-cravates achetés à Londres. Bref, il ne se fond pas dans la masse, il fait exception, il prend ses distances, il se détache et les taches maculent jour après jour sa veste pour punir cette intolérable provocation, son élégance. La classe qui incarne la norme veut faire rentrer le professeur réfractaire dans le rang. Elle lui inflige, pour qu'il cède, un supplice quotidien. Cet acharnement méthodique et muet l'anéantit. Il perd le goût de vivre. Il reste prostré chez lui, pendant des heures. Alors sa femme, n'y tenant plus, écrit à l'inspecteur général d'anglais. Le destinataire répond, trois semaines plus tard : « Votre épouse s'inquiète gentiment de votre situation professionnelle. Je pense que vous devez examiner votre pratique pédagogique avec lucidité et un certain détachement. Il s'agit d'un nouveau poste, certes un peu difficile, auquel vous devez vous adapter. Il est en effet souhaitable que des professeurs agrégés comme vous l'êtes dispensent leur enseignement aux enfants les plus défavorisés — c'est pour l'école une question de démocratie, pour les jeunes, un gage de réussite et d'égalité, pour vous une expérience très enrichissante. En outre, je ne veux pas croire qu'on puisse longtemps voir tout en noir lorsqu'on vit au pays de Paul Valéry et de Georges Brassens. Recevez, cher collègue… »

Pauvres, mais « sveltes, sévères, sanglés », les premiers instituteurs étaient, si l'on en croit Péguy, des sortes de dandys. Les temps ont changé : la République, en se démocratisant, a banni ces ports altiers, elle a envoyé se rhabiller les « hussards noirs », à la grande satisfaction des parents d'élèves. Dans leur majorité, en effet, ceux-ci ont perdu le respect de l'école. En cas de comportement perturbateur de leur enfant, ils reprochent à l'enseignant de ne pas tenir sa classe, et en cas de difficulté scolaire, ils l'accusent, comme l'inspecteur, d'être un mauvais pédagogue : au lieu de s'adapter aux élèves, il attend que les élèves s'adaptent à lui. Ces nouveaux parents ne relaient plus à la maison le point de vue de l'école, ils tendent à devenir les délégués syndicaux résolus et râleurs de leur progéniture. Ils défendent le bien-être de celle-ci contre les exigences des maîtres et leur principale fédération milite d'autant plus activement pour la suppression des notes, des devoirs et des redoublements au collège qu'elle vit à l'heure démocratique où tous les individus, enfants compris, sont rois. La destitution de l'*aidos* est l'autre face de ce couronnement universel.

À l'anthropologue venu d'ailleurs ou d'une autre planète qui se demanderait comment tout le monde peut être monarque, il faudrait conseiller de voir, par exemple, *La guerre est déclarée.* Plébiscité par une presse et un public enthousiastes, le film de Valérie Donzelli raconte l'histoire poignante d'un tout jeune enfant atteint d'une tumeur au cerveau. On l'opère. L'opération réussit. Mais les médecins estiment à 10 % ses chances de survie. Les parents du petit malade refusent de céder au désespoir et de lâcher prise. Ils ont décidé de se battre. Ils accompagnent l'enfant dans l'interminable calvaire de ses terribles traitements. Et la tumeur est vaincue. Le film accrédite ainsi la thèse selon laquelle la maladie est une guerre qu'on peut gagner comme si ceux qu'elle terrassait, et leur entourage, étaient de piètres soldats. Mais passons. Plusieurs années après l'opération, la famille rend visite au chirurgien. Celui-ci leur annonce la bonne nouvelle de la guérison définitive. Comme pour valider ce diagnostic, l'enfant, qui a bien grandi, se plonge aussitôt dans les délices virtuelles d'un jeu vidéo. La tablette ludique ferme la parenthèse de la longue et affreuse maladie. Le héros reprend, les yeux rivés sur son écran, une vie normale. Tout rentre dans l'ordre. Un ordre où la politesse n'a aucune part. Il ne viendrait pas à l'idée des parents de ranger la PlayStation et de dire à l'enfant d'attendre la fin de la consultation pour s'amuser. L'insouciance est un droit dont il a été trop longtemps privé et dont il doit pouvoir jouir sans délai. Il a largement dépassé ce qu'on appelait autrefois l'âge de raison, mais l'obliger à être là où il est, à écouter la conversation, et — pourquoi pas ? — à remercier son sauveur, ce serait exercer sur lui une violence que leurs parents exerçaient sur eux, ou leurs grands-parents sur leurs parents. Ils entendent rompre avec cette tradition coercitive. Les bonnes manières, on le voit dès leur coup de foudre, et tout au long du film mené tambour battant, ce n'est pas leur truc. La discipline non plus. Ils sont *cool*. Ils ne s'embarrassent de rien : ils récusent les contraintes et les protocoles au nom de la liberté, le formalisme au nom de l'immédiateté, les artifices au nom du naturel, le mensonge des apparences au nom de l'authenticité des sentiments, l'observance des rites au nom de la religion du cœur. Ils ne veulent plus être des parents bourgeois mais des parents démocratiques. Là où régnait l'inhibition et où sévissait l'inégalité, le droit pour chacun d'être soi-même doit prévaloir.

Mais ce qu'ils ont oublié, dans leur ferveur égalitaire et libertaire, c'est que les formes bourgeoises ont un fondement moral. Elles ne révèlent pas seulement un être ou une position de classe. Elles font entendre, jusque dans la comédie sociale, le souci d'autrui. Quand je mets les formes, je respecte un usage, bien sûr, je joue un rôle, sans doute, je trahis mes origines, peut-être. Mais surtout, comme l'a bien montré Hume, je fais savoir à l'autre ou aux autres qu'ils comptent pour moi. Je les salue, je m'incline devant eux, je prends acte de leur existence en *atténuant la mienne*. L'enfant abandonné à son égocentrisme natal et aux nouvelles technologies fait l'inverse : il frappe d'inexistence la personne qu'il a en face de lui. Il biffe une réalité extérieure avec laquelle, en d'autres temps, il lui aurait fallu composer. Il est certes placide, à la différence des élèves pétulants de Mara Goyet, d'Aymeric Patricot et de Iannis Roder. Son calme et son mutisme contrastent avec leur agitation, mais ce contraste est trompeur. En commençant ainsi sa carrière d'être humain, il risque fort de rejoindre plus tard la troupe innombrable des sans-vergogne : ceux qui n'entendent pas le bruit qu'ils font ; ceux qui, leur casque sur les oreilles, traversent le monde sans voir personne ; ceux qui téléphonent en public, et qui insultent le confident involontaire de leurs petits tracas ou de leurs grands chagrins quand ce dernier s'avise de leur rappeler sa présence. Sous prétexte de ne pas inculquer d'automatisme, les parents de *La guerre est déclarée* manquent à leur devoir d'enseigner l'attention.

Mais les mêmes parents, à un autre moment du film, laissent transparaître leur hostilité viscérale au Front national et à ses thèses xénophobes. Ils ont tiré les leçons de l'histoire, en effet. Entre le Même et l'Autre, ils ne transigent pas, ils choisissent l'Autre et ils ne manquent aucune occasion de le faire savoir. Ainsi, tandis qu'avec les formes disparaissent les égards envers l'autre empirique, le culte idéologique de l'Autre bat son plein. Le fascisme ne passera pas, mais la muflerie s'installe.

L'*aidos*, nous l'apprenons à nos dépens, n'est pas une disposition naturelle. La nature est *éhontée*, la honte est un deuxième mouvement qu'il revient aux parents de faire advenir. Or, ils répugnent désormais à endosser ce rôle. L'ancien régime familial exigeait d'eux que leur enfant fût *bien élevé*. Ils lui enseignaient donc, écrit très justement Marcel Gauchet, « à se regarder comme un parmi d'autres ». Le nouveau régime veut qu'il soit *épanoui*. Aussi le laissent-ils, le plus souvent possible, s'amuser comme il lui plaît. Permissifs et non punitifs, ils s'abstiennent, même en public, de limiter ses prétentions. Cette rupture avec le Vieux Monde se traduit par l'abandon des vieilles figures institutionnelles du père et de la mère. Papa et maman ont pris la relève. Et pourquoi, au demeurant, étoufferaient-ils la spontanéité enfantine en interdisant une pratique que tout le monde s'accorde à considérer comme culturelle ? La démocratie, en effet, a eu raison de la culture générale. Elle l'a remplacée, sans crier gare, par la culture *généralisée*. Aussi sympa que son prédécesseur était sévère, ce néoconcept héberge les jeux électroniques comme les œuvres du patrimoine. Aucune offre, aucun contenu, aucun programme ne lui sont étrangers. Rien ne le rebute. Rien, dans son immense domaine, n'est supérieur à rien. Sous l'effet d'un mouvement d'égalisation dont, comme le souligne Alain Renaut dans un livre intitulé *La Libération des enfants*, il n'y a pas de raison d'imaginer *qu'il puisse s'arrêter quelque part*, les anciennes hiérarchies volent en éclats. On distinguait le loisir et les loisirs, l'art et le divertissement, la vie avec la pensée et la vie dans l'hébétude, la culture et le reste. Aujourd'hui *le reste se venge* : au moment même où tout converge sur un même support, ces distinctions sont jugées élitistes et donc inacceptables par l'esprit du temps. Ainsi le journal *Le Monde* accompagne-t-il la publication de la déprimante enquête d'Olivier Donnat (citée plus haut), sur les comportements culturels des Français entre 1973 et 2008, d'un éditorial euphorique : « L'épatant appétit de culture des Français ». Les statistiques disent bien qu'il y a de moins en moins de lecteurs de livres et que le public des concerts de musique classique ou savante vieillit, inexorablement, mais « rhabille-toi, Cassandre ! », la culture n'est plus là où la vieille bourgeoisie la place pour mieux savourer son éminence, la quantité et la communion des spectateurs fait désormais la qualité des œuvres : « Le film *Intouchables* a été vu par dix-sept millions de spectateurs et les Français se révèlent amateurs de grandes messes culturelles, d'événements réunificateurs, de théâtre, de concerts de rock, de salles obscures où la taille de l'écran est sans doute moins importante que la présence du collectif, de l'ici et maintenant, de l'émotion partagée. »

Cet esprit posthumaniste se targue d'être plus humain que l'humanisme. Il refuse, en effet, de faire le tri entre les hommes. S'il démantèle, autrement dit, « la grange de la crainte », ce n'est pas pour le plaisir nihiliste de la destruction, c'est pour ne laisser personne sur le bord du chemin ou à l'écart de la fête. Contre la cruauté des discriminations, il brandit l'étendard de la reconnaissance universelle. Contre l'aristocratie du goût, il défend les communions populaires et contre les dommages de la honte, il favorise l'éclosion des *prides*. Sous son égide, chaque religion, chaque minorité, chaque opinion individuelle réclament d'être traitées à l'égal de toutes les autres, et nous entrons, comme dit Philippe Muray, dans « l'âge du fier ».

L'âge du fier : la formule fait mouche. Mais après avoir ri, relisons Pascal : « Nous avons une si grande idée de l'âme de l'homme que nous ne pouvons souffrir d'en être méprisés, et de n'être pas dans l'estime d'une âme ; et toute la félicité des hommes consiste dans cette estime. » Relisons Simone Weil : « L'homme est ainsi fait que celui qui écrase ne sent rien ; que c'est celui qui est écrasé qui sent tout. » Relisons Hegel qui, ne voulant en rester ni à Hobbes ni à Kant, a mis la thématique de la reconnaissance au cœur de *La Phénoménologie de l'esprit*. Nous ne sommes pas des êtres voués à la seule persévérance dans l'être. Nous attendons autre chose de l'existence que la satisfaction de nos appétits. Nous avons, même repus, *les nerfs à vif*, car nous vivons pour être reconnus et la reconnaissance n'est jamais sûre, jamais définitive. Le symbolique est tout aussi réel que la réalité matérielle, les blessures d'amour-propre ne font pas moins souffrir que les maladies du corps. C'est un préjudice tangible que subissent les individus ou les groupes quand la société environnante leur renvoie une image dépréciative d'eux-mêmes. Car souvent, cette image, ils l'intériorisent. Ils prolongent par l'autodénigrement le mépris dont ils sont l'objet. Ils avalisent malgré eux le verdict d'anomalie ou d'insuffisance prononcé à leur encontre. Prenant l'exemple des femmes, des Noirs ou des peuples indigènes en Amérique du Nord, Charles Taylor écrit très justement : « Le défaut de reconnaissance ne trahit pas seulement un oubli du respect normalement dû. Il peut infliger une cruelle blessure en accablant ses victimes d'une haine de soi paralysante. La reconnaissance n'est pas seulement une politesse qu'on fait aux gens : c'est un besoin vital. » Sur ce point, le politiquement correct a raison : il faut faire une place au multiculturalisme.

Mais peut-être pas toute la place. Au nom du respect des minorités, les universités américaines ont entrepris, dans la dernière décennie du XXe siècle, de réviser ce qu'on appelle là-bas le canon, c'est-à-dire de modifier la liste des grands textes classiques. Il s'agissait de briser l'humiliant monopole des DWEMS (Dead White European Males) pour permettre aux vivants non blancs non européens et femmes de se retrouver dans les auteur(e)s proposé(e)s à leur admiration. Comme si l'on pouvait jamais se retrouver dans Platon, se sentir représenté par Henry James ou chérir en Spinoza un double de soi-même. Comme si ces auteurs, de même d'ailleurs que Hannah Arendt ou Virginia Woolf, ne nous renvoyaient pas d'abord, qui que nous soyons et quels que soient notre « genre » et notre origine, à nos limites, à notre finitude. Comme si leur génie ne nous infligeait pas une salutaire blessure narcissique. Comme si enfin — je cite ici Leo Strauss — « l'éducation libérale qui consiste en un commerce permanent avec les grands esprits » n'était pas un « entraînement à la modestie la plus haute, pour ne pas dire à l'humilité ».

Mais qui parle encore d'humilité ? Il n'y a pas de blessure du moi aujourd'hui qui ne crie justice et qui ne demande réparation. La société démocratique exige la reconnaissance de tous par tous. Elle espère, par la satisfaction de cette exigence, conjurer les maléfices de l'intersubjectivité et résoudre le problème humain. Au lieu de cela, elle flatte les susceptibilités ombrageuses, elle entretient le narcissisme vindicatif des grandes et des petites différences, elle prend, dans la guerre des respects, le parti catastrophique de combattre toute restriction de l'estime de soi-même.

Le régime exsangue
et le processus inexorable

Je disais en commençant que le changement n'est plus ce que nous faisons mais ce qui nous arrive, et que ce qui nous arrive, en France et dans une Europe devenue malgré elle continent d'immigration, c'est la crise du vivre-ensemble. Et puis, je me suis aperçu, en cours de route, que nous sommes impliqués dans ce qui nous arrive. Nous ne le voulons pas, mais nous y mettons du nôtre. Nous sonnons le tocsin et nous orchestrons le désastre. Nous prônons la paix et nous alimentons les haines. Nous nous inquiétons de la montée des incivilités et nous disqualifions l'*aidos*. Nous dénonçons les méfaits du nihilisme et, habités par la passion égalitaire, nous menons le combat contre les discriminations jusqu'au point où tout finit par se valoir. « Le ciel, disait déjà Bossuet, se rit des prières qu'on lui fait pour détourner de soi les maux dont on persiste à vouloir les causes. »

S'il y a une crise du vivre-ensemble, la démocratie contemporaine ne peut s'en tenir quitte, car elle n'est pas seulement un régime *politique* (le gouvernement du peuple par le peuple), elle est aussi un mouvement, une dynamique, un processus *historique* d'effacement des frontières et de nivellement des différences : tandis que les inégalités économiques perdurent (et même se creusent, avec des riches de plus en plus riches et un accroissement sensible du nombre des pauvres), les conditions se rapprochent, les hiérarchies s'aplatissent, les distinctions s'estompent. Le régime dissimule, sous les envolées et les éclats de voix des joutes électorales, l'incapacité grandissante de la politique à infléchir le cours des choses, il gère au jour le jour la désintégration nationale, il accompagne, comme il le peut, les conséquences d'une transformation démographique qui n'a donné lieu à aucun débat, qui n'a même été décidée par personne. Le processus, pendant ce temps, poursuit son travail d'indifférenciation. Le régime est une forme fatiguée ; le processus, « une force qui va ». Le premier a beau dire et s'escrimer, le pouvoir lui échappe. La poussée du second ne connaît aucune limite et enfonce tous les butoirs. Il trouve même un renfort très précieux dans le soupçon que fait peser l'histoire sur la volonté de sortir de l'indifférencié par l'affirmation, voire la simple assomption de l'identité nationale.

Tout est-il joué ? Oui, si la vigilance que le passé impose continue de nous mettre hors d'état de percevoir l'irréductible nouveauté de la réalité présente. Non, si nous mettons enfin nos montres à l'heure, si nous choisissons de faire face et si nous n'abandonnons pas, sans coup férir, l'idée et la pratique de la démocratie au processus qui porte le même nom. Le temps presse.

BIBLIOGRAPHIE

Le changement n'est plus ce qu'il était

Goethe cité dans Thomas MANN, *Considérations d'un apolitique*, traduit par Louise Servicen, Jeanne Naujac, Grasset, 1975.

Charles PÉGUY, Cahiers de la quinzaine VIII, XI, in *Œuvres en prose complètes II*, Gallimard, collection « Bibliothèque de la Pléiade », 1988.

Stéphane HESSEL, *Indignez-vous !*, Éditions Indigène, 2010.

François FURET, *Le Passé d'une illusion*, in *Penser le XX*e *siècle*, Robert Laffont, collection « Bouquins », 2007.

Haut Conseil à l'intégration, *Les Défis de l'intégration à l'école. Recommandations relatives à l'expression religieuse dans les espaces publics de la République*, La Documentation française, 2011.

Ossip Mandelstam, « Le Premier janvier 1924 », in *Tristia et autres poèmes*, traduit par François Kérel, Gallimard, collection « Poésie Gallimard », 1982.

Catherine WIHTOL DE WENDEN, *La Globalisation humaine*, PUF, 2009.

Laïques contre laïques

Élisabeth Badinter, Régis Debray, Alain Finkiel-Kraut, Élisabeth de Fontenay et Catherine Kintzler, « Profs, ne capitulons pas ! », *Le Nouvel Observateur*, 2 novembre 1989.

Entretien avec David Kessler, in *Le Débat*, n° 77, novembre-décembre 1993, dossier « Laïcité ».

Jules Ferry, « Lettre aux instituteurs », in *Laïcité*, textes choisis et présentés par Henri Pena-Ruiz, Flammarion, collection « GF », 2003.

« Circulaire Bayrou », in Guy Coq, *Laïcité et République, le lien nécessaire*, Éditions du Félin, 2003.

Emmanuel Kant, *Qu'est-ce que les Lumières ?* traduit par Jean-François Poirier et François Proust, Flammarion, collection « GF », 1991.

Ferdinand Buisson cité dans Claude Nicolet, *L'Idée républicaine en France (1789-1924)*, Gallimard, 1982.

Mgr Freppel cité dans Jacques Julliard, *Les Gauches françaises, 1762-2012. Histoire, politique et imaginaire*, Flammarion, 2012.

Laurent Lafforgue, « L'école victime de la confusion des ordres », in *Conférence*, n° 22, printemps 2006.

Pierre Waldeck-Rousseau cité dans Jacques Julliard, *Les Gauches françaises, op. cit.*

Pierre Bayle, *De la tolérance. Commentaire philosophique*, Presses Pocket, 1992.

Denis Diderot, article « Intolérance » de l'Encyclopédie, in Véronique Le Ru, *Subversives Lumières. L'Encyclopédie comme machine de guerre*, CNRS Éditions, 2007.

Benjamin CONSTANT, *De la liberté chez les Modernes*, Hachette, collection « Pluriel », 1980.

PASCAL, *Les Pensées*, Éditions du Cerf, 2005.

Léon BRUNSCHVICG, *Écrits philosophiques*, tome I, *L'humanisme de l'Occident*, PUF, 1951.

Charles PÉGUY, *De Jean Coste, Œuvres en prose complètes I*, Gallimard, collection « Bibliothèque de La Pléiade », 1987.

Christian BAUDELOT, Marie CARTIER et Christine DETREZ, *Et pourtant ils lisent...*, Éditions du Seuil, 1999.

ALAIN, *Propos sur l'éducation*, PUF, collection « Quadrige », 1986.

François DUBET, *Le Déclin de l'institution*, Éditions du Seuil, 2002.

Mixité française

Claude HABIB, *Galanterie française*, Gallimard, 2006.

Hélé BÉJI, *Islam Pride*, Gallimard, 2011.

Fethi BENSLAMA, *Déclaration d'insoumission à l'usage des musulmans et de ceux qui ne le sont pas*, Flammarion, 2005.

Baltasar GRACIÁN, *L'Homme de cour*, traduit par Amelot de La Houssaye, Gallimard, collection « Folio classique », 2010.

David HUME, « De la naissance et du progrès des arts et des sciences », in *Essais moraux, politiques et littéraires*, traduits par Gilles Robel, PUF, 2001.

VOLTAIRE, *Candide*, Hachette, Le Livre de Poche, 2011.

MOLIÈRE, *L'École des femmes*, Gallimard, collection « Folio classique », 2000.

—, *Le Sicilien ou l'Amour peintre*, in *Œuvres complètes 3*, Flammarion, collection « GF », 1965.

Edith WHARTON, *Les Mœurs françaises et comment les comprendre*, traduit par Jean Pavans, Payot, 2003.

TAHTÂWÎ, *L'Or de Paris. Relation de voyage, 1826-1831*, traduit par Anouar Louca, Éditions Sindbad, 1988.

Joan Wallach SCOTT, *The Politics of The Veil*, Princeton University Press, 2007.

Baruch SPINOZA, *Traité des autorités théologique et politique*, traduit par Madeleine Francès, Gallimard, 1954.

Christine BARD, *Une histoire politique du pantalon*, Éditions du Seuil, 2010.

Iannis RODER, *Tableau noir. La défaite de l'école*, Denoël, 2008.

Saint-Just, *L'Esprit de la Révolution*, 10/18, 2003.

HEGEL, *Leçons sur la philosophie de l'histoire*, traduit par Jacques Gibelin, Vrin, 1963.

Le vertige de la désidentification

Edmund BURKE, *Réflexions sur la Révolution de France*, préface de Philippe Raynaud, Hachette, collection « Pluriel », 1989.

RABAUT-SAINT-ÉTIENNE, *Considérations sur les intérêts du tiers état*, 1788 [accessible en ligne sur Gallica. bnf.fr].

Joseph DE MAISTRE, *Considérations sur la France*, in *Œuvres*, Robert Laffont, collection « Bouquins », 2007.

Maurice Barrès cité dans Zeev STERNHELL, *Maurice Barrès et le nationalisme français*, Éditions Complexe, 1985.

Adolf Hitler, *Mein Kampf*, cité dans Dominique VENNER, *Le Siècle de 1914*, Pygmalion, 2006.

Marcel COHEN, *À des années-lumière*, Éditions Fario, 2013.

Vladimir Jankélévitch, cité dans François AZOUVI, *Le Mythe du grand silence. Auschwitz, les Français, la mémoire*, Fayard, 2012.

J.C.F. von Schiller, « Qu'est-ce que l'histoire universelle et pourquoi l'étudie-t-on ? », in François HARTOG, *Croire en l'histoire*, Flammarion, 2013.

Léon Blum, « Déclaration à la Chambre, 9 juillet 1925 », in Jacques ANDRÉANI, *Identité française*, Odile Jacob, 2012.

Jean-Marc FERRY, *Europe, la voie kantienne. Essai sur l'identité postnationale*, Éditions du Cerf, 2005.

Ulrich BECK, *Qu'est-ce que le cosmopolitisme ?*, traduit par Aurélie Duthoo, Aubier, 2006.

—, « Comprendre l'Europe telle qu'elle est », in *Le Débat*, n° 129, mars-avril 2004.

Leszek KOŁAKOWSKI, « Où sont les barbares ? Les illusions de l'universalisme culturel », in *Le Village introuvable*, traduit par Jacques Dewitte, Éditions Complexe, 1986.

Régis DEBRAY, *Éloge des frontières*, Gallimard, 2010.

Julien BENDA, *Discours à la nation européenne*, Gallimard, collection « Folio essais », 1979.

Gianni VATTIMO, *Après la chrétienté. Pour un christianisme non religieux*, traduit par Frank La Brasca, Calmann-Lévy, 2004.

Alain BADIOU, *De quoi Sarkozy est-il le nom ?*, Nouvelles Éditions Lignes, 2007.

Roger SCRUTON, *Arguments for Conservatism. A Political Philosophy*, Continuum International Publishing Group, 2006.

Charles de Gaulle, cité dans Alain PEYREFITTE, *C'était de Gaulle I*, Éditions de Fallois/Fayard, 1994.

Vincent DUCLERT, « La "Maison de l'histoire de France", Histoire politique d'un projet présidentiel », in *Quel musée d'histoire pour la France ?*, Armand Colin, 2011.

Alain RENAUT, *Un humanisme de la diversité. Essai sur la décolonisation des identités*, Flammarion, 2009.

Maurice BARRÈS, *Les Déracinés*, Gallimard, collection « Folio », 1988.

Lucien FEBVRE et François CROUZET, *Nous sommes des sang-mêlés. Manuel d'histoire de la civilisation française*, Albin Michel, 2012.

Jean-Paul DEMOULE, entretien, in *Le Nouvel Observateur*, 9 août 2012.

Charles PÉGUY, *L'Argent suite, Œuvres en prose complètes III*, Gallimard, collection « Bibliothèque de la Pléiade », 1992.

Marwan MUHAMMAD, secrétaire général du Collectif contre l'islamophobie en France, cité dans Élisabeth Schemla, *Islam, l'épreuve française*, Plon, 2013.

Emmanuel LEVINAS, *Entretien avec François Poirié*, Actes Sud, collection « Babel », 1996.

Paul-Jean TOULET, « Vers inédits », in *Œuvres complètes*, Robert Laffont, collection « Bouquins », 2003.

La leçon de Claude Lévi-Strauss

Jean-Pierre OBIN, « Les signes et manifestations d'appartenance religieuse dans les établissements scolaires », in *L'École face à l'obscurantisme religieux*, Max Milo, 2006.

Pascal Lainé, *L'Irrévolution*, Gallimard, 1979.

Salim Bachi, « Moi, Mohamed Merah », in *Le Monde des Livres*, 30 mars 2012.

Christophe Guilluy, *Fractures françaises*, François Bourin Éditeur, 2010.

Olivier Ferrand, Bruno Jeanbart, *Gauche : quelle majorité électorale pour 2012 ?*, Fondation Terra Nova, 2011.

Bertolt Brecht, « La Solution », traduit par Maurice Regnaut, in *Anthologie bilingue de la poésie allemande*, Gallimard, collection « Bibliothèque de la Pléiade », 1993.

Claude Lévi-Strauss, *Race et histoire*, Gallimard, collection « Folio plus », 2007.

Edward Burnett Tylor, « Primitive Culture », cité dans Claude Lévi-Strauss, *Race et histoire, op. cit.*

Roger Caillois, « Illusion à rebours », in *Nouvelle Revue française*, n° 24-25, 1955.

Claude Lévi-Strauss, « Race et culture », in *Le Regard éloigné*, Plon, 1983.

Jean Daniel, « Lévi-Strauss, les immigrés, Le Pen », in *Miroirs d'une vie*, Gallimard, 2013.

—, *De près et de loin. Entretiens avec Didier Eribon*, Odile Jacob, 2009.

Emmanuel Levinas, « Signature », in *Difficile liberté*, Albin Michel, 1976.

« *Une chose belle, précieuse, fragile et périssable…* »

Marcel Proust, *Sur la lecture*, Éditions Complexe, 1987.

Nicholas Carr, *Internet rend-il bête ?*, traduit par Marie-France Desjeux, Robert Laffont, 2011.

Olivier Donnat, *Les Pratiques culturelles des Français à l'ère numérique. Enquête*, La Découverte / Le ministère de la Culture et de la Communication, 2008.

Susan Maushart, *Pause*, traduit par Pierre Reignier, NiL Éditions, 2013.

Roger Chartier, *Le Livre en révolutions*, Textuel, 1997.

Antoine Compagnon, « Lire numérique », in *Le Débat* n° 170, mai-août 2012.

John P. Barlow, « Déclaration d'indépendance du cyberespace », in *Libres enfants du savoir numérique*, Éditions de l'Éclat, 2000.

Michel Serres, *Petite Poucette*, Éditions Le Pommier, 2012.

Mona Ozouf, « Apprendre à ne pas lire », in *Le Débat* n° 135, mai-août 2005.

Cécile Revéret, *La Sagesse du professeur de français*, L'Œil neuf éditions, 2009.

Ernst Robert Curtius, *Essai sur la France*, traduit par Jacques Benoist-Méchin, Éditions de l'Aube, 1990.

Charles Du Bos, « Introduction à *Feuilles tombées* de René Boylesve », in *Approximations*, Éditions des Syrtes, 2000.

Albert Thibaudet, « Pour la géographie littéraire », in *Réflexions sur la littérature*, Gallimard, collection « Quarto », 2007.

David Hume, *De la naissance et du progrès des arts et des sciences, op. cit.*

Voltaire, *Le Siècle de Louis XIV*, Hachette, Le Livre de Poche, 2005.

Charles Dickens, *Les Temps difficiles*, traduit par Andrée Vaillant, Gallimard, collection « Folio », 1985.

Pierre Bourdieu, *La Distinction. Critique sociale du jugement*, Éditions de Minuit, 1979.

Christian BAUDELOT et Roger ESTABLET, *Le niveau monte. Réfutation d'une vieille idée concernant la prétendue décadence de nos écoles*, Éditions du Seuil, 1989.

Charles PÉGUY, *Les Suppliants parallèles*, in *Œuvres en prose complètes II*, Gallimard, collection « Bibliothèque de la Pléiade », 1988.

Fadila MEHAL, présidente-fondatrice des « Marianne de la diversité », citée dans Réjane SÉNAC, *L'Invention de la diversité*, PUF, 2012.

Renaud CAMUS, *Répertoire des délicatesses du français contemporain*, P.O.L, 2000.

CRAN (Conseil représentatif des associations noires de France) cité dans Pierre JOURDE, *C'est la culture qu'on assassine*, Balland, 2011.

Paul CLAUDEL, « Un regard sur l'âme japonaise. Discours aux étudiants de Nikkô », in *Connaissance de l'Est*, Gallimard, collection « Poésie », 1974.

CHATEAUBRIAND, *Mémoires d'outre-tombe*, Gallimard, collection « Bibliothèque de la Pléiade », 1951.

Pierre Elliott Trudeau, *La Grève de l'amiante*, cité dans Éric BÉDARD, *Recours aux sources. Essais sur notre rapport au passé*, Boréal, 2011.

Simone WEIL, *L'Enracinement*, Gallimard, collection « Folio essais », 1990.

La guerre des respects

Thomas HOBBES, *Léviathan*, traduit par Gérard Mairet, Gallimard, collection « Folio essais », 2000.

Véronique BOUZOU, *Ces profs qu'on assassine*, Éditions Jean-Claude Gawsewitch, 2009.

Cécile ERNST, *Bonjour madame, merci, monsieur.*

L'urgence de savoir vivre ensemble, Jean-Claude Lattès, 2011.

Renaud CAMUS, *Abécédaire de l'in-nocence,* Éditions David Reinharc, 2010.

Baruch SPINOZA, *Traité des autorités théologique et politique, op. cit.*

Emmanuel Kant, cité dans Rudolf EISLER, *Kant-Lexikon* (article « Respect »), traduit par Anne-Dominique Balmès et Pierre Osmo, Gallimard, 1994.

Thornton WILDER, *Theophilus North,* The Library of America, 2011.

Jean-François CHEMAIN, *Kiffe la France,* Via Romana, 2011.

Alexis de TOCQUEVILLE, *De la démocratie en Amérique,* Robert Laffont, collection « Bouquins », 1986.

Jean DANIEL, *Comment peut-on être français ?,* Les Belles Lettres, 2012.

Hannah ARENDT / Gershom SCHOLEM, *Correspondance,* traduit par Olivier Mannoni, Éditions du Seuil, 2012.

Charles PÉGUY, « Notre jeunesse », in *Œuvres en prose III, op. cit.*

Theodor ADORNO, *Dialectique négative,* traduit par le groupe de traduction du Collège de Philosophie, Payot, 1978.

Saul Bellow, « To Jerusalem and Back », in Jeffrey MEHLMAN, *Adventures in the French Trade,* Stanford University Press, 2010.

Charles PÉGUY, « Lettre du provincial », in *Œuvres en prose complètes I,* Gallimard, collection « Bibliothèque de la Pléiade », 1987.

Paul VALÉRY, « Regards sur le monde actuel », in *Œuvres II,* Gallimard, collection « Bibliothèque de la Pléiade », 1960.

Solange VERGNIÈRES, *Éthique et politique chez Aristote*, PUF, 1995.

Rabbi Haïm de VOLOZINE, *L'Âme de la vie*, traduit par Benjamin Gross, Éditions Verdier, 1986.

Sous la direction d'Emmanuel BRENNER, *Les Territoires perdus de la République. Antisémitisme, racisme et sexisme en milieu scolaire*, Mille et une nuits, 2004.

Alain BADIOU et Éric HAZAN, *L'Antisémitisme partout. Aujourd'hui en France*, Éditions La Fabrique, 2011.

Ian BURUMA, *On a tué Theo Van Gogh. Enquête sur la fin de l'Europe des Lumières*, traduit par Jean Vaché, Flammarion, 2006.

Aymeric PATRICOT, *Autoportrait du professeur en territoire difficile*, Gallimard, 2011.

Iannis RODER, *Tableau noir. La défaite de l'école, op. cit.*

Mara GOYET, *Tombeau pour le collège*, Flammarion, collection « Café Voltaire », 2008.

—, *Collège brutal*, Flammarion, collection « Café Voltaire », 2012.

Claude Allègre cité dans Adrien BARROT, *L'Enseignement mis à mort*, Librio, 2000.

Camille LAURENS, *Dans ces bras-là*, P.O.L, 2000.

Charles PÉGUY, *L'Argent*, in *Œuvres en prose complètes III, op. cit.*

Marcel GAUCHET, « Essai de psychologie contemporaine I », in *La Démocratie contre elle-même*, Gallimard, collection « Tel », 2002.

Alain RENAUT, *La Libération des enfants. Contribution philosophique à une histoire de l'enfance*, Calmann-Lévy / Bayard, 2002.

Philippe MURAY, « Du monde sans autrui », in *Après l'Histoire*, Gallimard, collection « Tel », 2007.

Charles TAYLOR, *Multiculturalisme. Différence et démo-*

cratie, traduit par Denis-Armand Canal, Aubier, 1994.

Leo STRAUSS, *Le Libéralisme antique et moderne,* traduit par Olivier Berrichon Sedeyn, PUF, 1990.

DU MÊME AUTEUR

NOUS AUTRES, MODERNES, Ellipses, 2005 (Folio Essais n° 506).

LE LIVRE ET LES LIVRES. Entretiens sur la laïcité, en collaboration avec Benny Lévy, Verdier, 2006.

PETIT FICTIONNAIRE ILLUSTRÉ. Les mots qui manquent au dico, Seuil, 2006 (Points n° 1546).

CE QUE PEUT LA LITTÉRATURE (dir.), Stock/Panama, 2006 (Folio n° 4681).

QU'EST-CE QUE LA FRANCE ? (dir.), Stock/Panama, 2007 (Folio n° 4773).

LA QUERELLE DE L'ÉCOLE, Stock, 2007 (Folio n° 4864).

LA DISCORDE, en collaboration avec Rony Brauman, Flammarion, 2008.

PHILOSOPHIE ET MODERNITÉ, École Polytechnique, 2008.

UN CŒUR INTELLIGENT, Stock/Flammarion, 2009 (Folio n° 5156).

L'INTERMINABLE ÉCRITURE DE L'EXTERMINATION, Stock, 2010 (Folio n° 5430).

L'EXPLICATION, débat avec Alain Badiou mené par Aude Lancelin, Nouvelles Éditions Lignes, 2010.

ET SI L'AMOUR DURAIT, Stock, 2011 (Folio n° 5566).

L'IDENTITÉ MALHEUREUSE, Stock, 2013 (Folio n° 5912).

LA SEULE EXACTITUDE, Stock, 2015.